Чингиз Абдуллаев

Синдром жертвы

Дронго подошел к столу и сел напротив хозяина кабинета. Посмотрел на его руки. Длинные, даже красивые, сильные пальцы. Он убивал этими руками. Душил свои жертвы без жалости, без пощады...

ЭКСМО

МОСКВА

2011

УДК 82-3
ББК 84(2Рос-Рус)6-4
А 13

Оформление серии *А. Саукова*

Абдуллаев Ч. А.

А 13   Синдром жертвы : роман / Чингиз Абдуллаев. —
М. : Эксмо, 2011. — 352 с. — (Современный русский
шпионский роман).

ISBN 978-5-699-47214-7

Ни одному человеку не придет в голову мысль, что этот ми-
лейший человек, ученый, директор крупного института – безжалостный маньяк-убийца и насильник. Совершая свои преступления, он не оставляет следов. Его поступки лишены
видимой логики и всегда спонтанны. Но вот преступник допускает несколько незначительных ошибок, и этого уже достаточно для того, чтобы гениальный эксперт Дронго вышел на его
след...

УДК 82-3
ББК 84(2Рос-Рус)6-4

ISBN 978-5-699-47214-7

— Как кто убил?.. — проговорил он, точно не веря ушам своим. — Да вы убили, Родион Романыч! Вы и убили-с... — прибавил он почти шепотом, совершенно убежденным голосом.

Ф. М. Достоевский.
«Преступление и наказание»

А теперь плачет она еще неутешнее и горше, ибо разглядела перебитые ноги, неизвестно ведь, утихают ли после смерти те муки, что испытывал человек при жизни, особенно в последние ее минуты, весьма возможно, что со смертью и в самом деле кончается все, но никто не может утверждать наверное, что память о страдании, хоть несколько часов по крайней мере, не живет в том, что мы называем телом, и нельзя исключить, что разложение и распад плоти — это единственный способ от этих страданий избавиться.

Жозе Сарамаго.
«Евангелие от Иисуса»

ГЛАВА 1

В эти дни он занимался розысками неизвестного убийцы, который, по прогнозам профессора Гуртуева, должен появиться на Урале. В группу, сформированную по предложению генерала Шаповалова, вошли три человека: Полковник Резунов, профессор Гуртуев и сам Дронго. Именно им пришлось отправиться в командировку в Уфу и Челябинск, где в течение двух месяцев произошли два убийства подряд.

Самое поразительное в этих преступлениях даже не то, как тщательно и настойчиво их готовил неизвестный убийца, а сами жертвы, одна из которых была заместителем директора библиотеки, а вторая — женой самого вице-губернатора области. Обычно жертвами подобных сексуальных маньяков оказывались женщины совсем другой социальной группы, случайно попадавшиеся на пути убийцы. Однако в этих двух случаях было абсолютно очевидно, что убийца не рассчитывал на случайность и действовал целенаправленно и обдуманно, а это опаснее всего, так как невозможно просчитать действия подобного маньяка и вычислить место его очередного преступления.

В Москву группа прилетела вчера поздно ночью, а сегодня утром должна была собраться у генерала Шаповалова, чтобы доложить ему об итогах совместной поездки. Дронго и Резунов уже находились в приемной, ожидая профессора, когда им предложили войти.

(Гуртуев по уже устоявшейся привычке опаздывал.) Шаповалов энергично пожал обоим руки, приглашая их к длинному столу заседаний, а сам уселся напротив.

— Казбек Измайлович опаздывает, — доложил Резунов.

— Как обычно, — кивнул Шаповалов. — Я могу услышать от вас предварительные итоги вашей поездки в Башкирию и Челябинскую область?

Резунов взглянул на Дронго, словно советуясь с ним, как поступить. Для него слова генерала явились приказом. В этот момент секретарь доложила, что профессор Гуртуев прибыл, и буквально через несколько секунд в кабинет ворвался запоздавший гость. Большой лысый череп, мясистое лицо, узкие азиатские глаза, крупные очки, щеточка седых усов — таким был облик одного из лучших психоаналитиков страны. Гуртуев быстро пожал руку генералу, кивнул своим товарищам, усаживаясь рядом с хозяином кабинета и, очевидно, не чувствуя при этом никакой неловкости. Шаповалов покосился на него, но ничего не сказал.

— Итак, — повторил генерал, — я хотел бы услышать ваши версии случившегося. Виктор Андреевич, — обратился он к Резунову, — давайте начнем.

— Расследование по обоим делам ведут следователи Следственного комитета, — сообщил Резунов, — но наши сотрудники на местах проделали большую работу.

Шаповалов нахмурился. Он знал, что эта работа не всегда велась эффективно.

— В Уфе было найдено тело Татьяны Касимовой, — продолжал Резунов. — Рядом со школой находится заброшенное здание, куда преступник, очевидно, сумел заманить свою жертву; оно как раз на пути следования жертвы из библиотеки домой. Была проведена большая работа, опрошены десятки свидетелей. Благодаря помощи наших коллег-экспертов удалось выяснить, что убийца, видимо, прибыл из другого города и позвонил Касимовой с вокзала. К сожалению, тело нашли спустя некоторое время, и многие следы, естественно, уже потеряны. Но схожий почерк указывает на идентичность обоих преступлений в Уфе и Челябинске. В обоих случаях убийце каким-то образом удалось на время отключить сознание своих жертв. Возможно, он делал это с помощью гипноза или применял какие-то лекарственные средства. Никаких отклонений в крови жертв не обнаружено; скорее всего, это был обычный хлороформ, который быстро выветривается.

— Значит, он, нападая, не убивал свои жертвы? — мрачно уточнил генерал.

— Нет, не убивал. Ему важно задушить жертву в момент самого́ насилия. Очевидно, таким образом он получает максимальное удовольствие, — пояснил Резунов. — Во всяком случае, профессор Гуртуев считает, что все так и происходит.

— Мы еще успеем выслушать его мнение, — недовольно заметил генерал, — а пока я слушаю вас.

— Мы были в том здании, где произошло убийство, — продолжил полковник, — и обратили внимание, что насильно затащить туда жертву, находящуюся в сознании, практически невозможно, каким бы сильным ни был убийца. Кроме того, сошлись во мнении, что он был знаком с погибшей и, возможно, назначил ей свидание столь необычным способом — позвонил из телефона-автомата с вокзала, не пользуясь ни ее, ни своим мобильным телефоном. Проверки телефонов библиотеки подтвердили эту версию. Выходит, что он не просто осторожен, но и заранее просчитывает все варианты своего маршрута. И мы убеждены, что он прибыл в Уфу на поезде.

— Дальше! — потребовал генерал.

— Убийство в Челябинске проходило по той же схеме, — продолжал Резунов. — На этот раз преступление произошло в соседнем доме, ключи от подвала которого оказались в руках убийцы. По нашим предположениям, он бывал несколько раз в городе, чтобы окончательно продумать свой план и выманить жертву, с которой они наверняка были знакомы. Он позвонил ее родителям именно в тот день, когда ее мать не выходит на работу. Она работает врачом, и по четвергам у нее выходной. Дочь, супруга вице-губернатора, в эти дни всегда навещала ее. И он позвонил родителям, зная об этом, очевидно, чтобы и договориться с ней. Она приехала домой на служебной машине мужа, но не поднялась к себе, а прошла к соседнему дому. И... исчезла. В этот раз тоже были опрошены десятки свидетелей, проверены все соседние дома, и в подвале одного из них нашли тело убитой. Он задушил ее именно там и, судя по найденным микрочастицам, даже постелил свежую простыню.

— Мерзавец еще и чистюля, — пробормотал генерал. — Но как она могла пойти туда? Согласиться на встречу с неизвестным негодяем в подвале соседнего дома? Уму непостижимо! Действительно, каждая женщина — загадка.

— Наша группа считает, что он не приглашал ее в подвал, — осторожно пояснил Резунов. — Возможно, просто попросил пройти к соседнему дому, куда она и пошла, не опасаясь подвоха. А уже там набросился на нее. Судя по внешнему типу обеих жертв, ему нравятся блондинки. Заостренные черты лица, вздернутый носик, небольшая грудь, четко очерченная фигура, возраст — около тридцати, светлые глаза. Посмотрите, как обе жертвы неуловимо похожи друг на друга. —

И полковник протянул генералу две фотографии.

Шаповалов взглянул на них и отбросил в сторону.

— Я уже обратил на это внимание, — недовольно признался он. — Понятно, что у каждого мужчины бывают свои пристрастия. Одним нравятся блондинки, другим — брюнетки. Одни любят большую грудь, другие маленькую. Дело вкуса. Но почему образованные, интеллигентные, имеющие высшее образование женщины, работающие в хороших местах, соглашаются выйти на встречу с этим маньяком, абсолютно непонятно. Тем более что во втором случае речь идет о супруге вице-губернатора. Чего ей не хватало? Острых ощущений? Вы говорили с ее мужем?

— Пытались, — признался полковник, — но он вообще не захотел разговаривать. Господин Дронго считает, что у погибшей был дневник; он узнал об этом из разговора с одной из свидетельниц. Но муж категорически отказался выдать нам его, сказал, что уничтожил дневник...

— Жаль, — перебил Резунова генерал... — С помощью этого дневника многое прояснилось бы.

— Его можно понять, — вмешался Гуртуев. — Не каждый супруг готов поделиться интимным дневником своей супруги с посторонними. Тем более если там есть какие-то записи о ее личных встречах.

— В данном случае речь идет об убийстве, — напомнил Шаповалов. — И если он хочет, чтобы мы быстрее нашли убийцу, то должен помогать нам изо всех сил.

— Областной прокурор не разрешит проводить обыск в его квартире, — заметил Резунов. — А без санкции прокуратуры мы не сможем изъять этот дневник, если он, конечно, его не уничтожил.

— Ему нужно было лучше следить за собственной женой, — в сердцах проговорил генерал, — и тогда бы ничего не случилось. Нормальная женщина не ищет приключений на стороне.

— Боюсь, вы не правы, — возразил молчавший до сих пор Дронго. — Судя по всему, мы имеем дело не с обычным психопатом, охотящимся на женщин. Наверняка у него есть отклонения в сексуальном плане, раз он получает удовольствие столь неестественным образом. Но во всем остальном он, скорее всего, нормальный мужчина. Более того. Мы попытались создать его психотип. Ему около сорока. Хорошо зарабатывает, работает руководителем учреждения или главой фирмы. Очень коммуникабелен, умеет располагать к себе женщин, достаточно независим, должен быть внешне привлекателен. Образован, начитан. Наверняка интересуется криминалистикой, медициной, психологией. Тип женщин, которые ему нравятся, мы уже определили. У нас есть небольшая зацепка — он был одет в куртку «Поло». Возможно, носит с собой небольшой чемоданчик или сумку.

— На основании этих данных найти нужного человека невозможно, — вздохнул генерал. — Миллионы молодых мужчин хорошо одеваются, умеют трепаться и выпендриваться перед женщинами, носят небольшие чемоданчики... Любой брачный аферист подойдет под ваше описание.

— Наверное, да, — согласился Дронго, — и

поэтому нужно обратить особое внимание и на подобную категорию людей. Только брачные аферисты обычно покушаются на имущество своих жертв, а этот получает удовольствие от сексуального контакта, сопряженного с насилием.

— Больше ничего не удалось выяснить? — с явным разочарованием поинтересовался Шаповалов.

— Двое подозреваемых, которых задержали в Челябинске, оказались непричастными к данному преступлению, — пояснил Резунов. — Ключи от подвала похитил сам убийца, а наши сотрудники подозревали в этом сына коньсержки и его друга. Их немного обработали...

— Они сейчас в больнице, — сообщил Дронго, — «обрабатывали» очень усердно. Так усердно, что оба признались в убийстве, лишь бы избежать дальнейших пыток. Полагаю, вы обязаны об этом знать, уважаемый Сергей Владимирович.

Генерал нахмурился, резко поднялся, махнул рукой, показывая, что Резунов может не вставать, и подошел к своему столу. Забрал папку с документами и вернулся к столу, за которым расположилась вся группа.

— Мы решили проверить все похожие факты, происшедшие за последний год в нашей стране, — сказал он. — Если верить профессору Гуртуеву, этот маньяк не мог просто так появиться из ниоткуда. У нас есть четыре случая, но в Мурманске насильника схватили, и им оказался родственник мужа погибшей. В Курске женщину не насиловали, а только задушили, и, судя по всему, это сделал ее знакомый из-за большого долга. Погибшей было около пятидесяти. Но остаются еще два непонятных случая. Один произошел в прошлом году в Санкт-Петербурге, второй — в Кургане. Они очень схожи. Оба раза жертвами становились молодые женщины примерно тридцати лет. Только в Северной столице удалось найти тело погибшей, а в Кургане она исчезла бесследно. Наши офицеры получили фотографии погибших. Последние тоже блондинки примерно тридцати лет. — Генерал достал фотографии и показал их членам группы. — Как видите, есть некоторое сходство с нашими погибшими. Самое поразительное, что обе эти женщины тоже имели высшее образование, семьи и также пользовались уважением своих коллег. Погибшая в Санкт-Петербурге Мирра Богуславская — искусствовед, работала старшим научным сотрудником в Павловске. А в Кургане — Лилия Сурсанова, руководитель лаборатории, кандидат наук. Обе были замужем. Хотя в первом случае это гражданский брак.

— Нужно тщательно проверить и эти дела, — решительно заявил Дронго.

Гуртуев что-то чертил в блокноте, лежавшем перед ним на столе, и молчал.

— Поэтому я вас и пригласил, — согласился генерал. — Возможно, что и здесь действовал тот же убийца, которого мы ищем. Насчет Кургана пока ничего не могу сказать, тело не нашли. А вот по Санкт-Петербургу имеются определенные доказательства, что это наш насильник. Хотя проверяют и остальные версии. Но прошло столько времени, а результата пока никакого. — Он заметил, что профессор поднял голову, и поинтересовался: — Вы что-то хотите добавить, Казбек Измайлович?

— Это был он, — уверенно ответил Гуртуев. — Оба случая можно отнести на его счет.

— Почему вы так уверены? Я пока еще ничего особо конкретного не сказал.

— Их имена, — пояснил профессор. —
Я уже докладывал вам свою теорию. Есть
«твердые» и «хрупкие» имена. В данном случае Мирра и Лилия — достаточно «хрупкие».
Нужно посмотреть даты их рождения и имена их отцов.

— Казбек Измайлович, — укоризненно
произнес генерал, — в данном случае эти аст-
рологические номера явно не проходят. Не
обижайтесь, пожалуйста, но невозможно вычислить заранее жертву по ее имени или по
ее дате рождения.

— Я бы не стал так решительно на этом на-
стаивать, — возразил Гуртуев. — Я уже докладывал вам, что иногда происходят абсолютно невозможные вещи. Спрятавшийся
убийца пропускает троих случайных свидетелей и убивает четвертого. Маньяк не обращает внимания на брата-близнеца и нападает на
его копию, одетую в ту же одежду. Очевидно,
имя что-то значит, если у многих народов

оно связано с именами предков, природными качествами самого носителя имени или с его возможной космической защитой. Я уже не говорю о том, что, если ребенок тяжело болеет, ему меняют имя, чтобы отогнать ангела смерти. И это встречается у многих цивилизованных народов.

— Если ваша теория поможет вычислить убийцу, я согласен принять ее в качестве пособия по розыску маньяков и их жертв, — пошутил генерал. — Но как она может помочь, если жертвы уже погибли?

— Существует «синдром жертвы», — убежденно произнес Гуртуев, — как и «синдром убийцы». Можно попытаться вычислить, кому из женщин в данной местности грозит большая опасность, с учетом психофизических характеристик убийцы. Мы уже знаем, кого именно он может выбрать и за кем будет охотиться. Это не шарлатанство и не астрология, а чистая психология.

— Никто не говорит про шарлатанство, — примирительно заметил Шаповалов. — Ваши заслуги, как выдающегося психоаналитика и криминалиста, всем хорошо известны. Поэтому вас и попросили нам помочь, чтобы найти этого необычного убийцу.

— Полагаю, для начала нам нужно выехать в Санкт-Петербург и в Курган, — предложил Гуртуев, — и уже на месте все еще раз осмотреть.

— Убийство в Санкт-Петербурге произошло больше года назад, — пояснил генерал, — а в Кургане — примерно шесть месяцев назад. Вернее, там не убийство, просто женщина пропала. Исчезла.

— Нам нужно все проверить на месте, — упрямо повторил Казбек Измайлович.

— Обязательно, — согласился генерал. — Но я не сказал вам самое главное — в Санкт-Петербурге женщину изнасиловали и задушили. Экспертиза определила группу крови насильника...

— Третья отрицательная, — быстро проговорил Дронго, — правильно?

— Да. Но тогда поиски убийцы ничего не дали.

— Это был он, — прошептал Гуртуев. — Он входит во вкус, и, боюсь, следующее убийство произойдет гораздо быстрее, чем мы можем предположить.

— Выезжайте сегодня ночью на поезде, — предложил генерал. — Мы не можем спокойно сидеть и ждать, пока он найдет себе очередную жертву. Мы обязаны что-то предпринять.

— Кажется, очередную жертву он уже нашел, — мрачно ответил Казбек Измайлович, — и в нашем случае речь может идти только о том, чтобы он не успел ее убить.

русская классику. После этого он не
проводился время, как только и
под рукой оказалось

ГЛАВА 2

Он посмотрел на себя в зеркало.
Кажется, все в порядке. Обычно он
бреется электробритвой, стараясь
не пользоваться безопасными лез-
виями, которыми чаще всего режет
лицо. После бритья он смазывает
лицо лосьоном с резким запахом
хорошей французской парфюме-
рии; может, поэтому аромат дер-
жится так долго, вызывая улыбки
у коллег. Все знают, что директор
института Вениамин Борисович
всегда благоухает, и запах его пар-
фюма еще долго остается в коридоре после того, как он проходит, направляясь в свой кабинет.

Он всегда бреется в ванной ком-
нате. Затем — традиционный кофе,
булочка с сыром или творогом.
Творог даже лучше; он покупает

его в соседнем супермаркете, и у этого сорта нулевая жирность. Последний раз, когда он проверялся у врачей, ему сообщили, что у него в крови повышенное содержание сахара, и хотя это был еще не диабет второй стадии, тем не менее он решил не доводить себя до инсулиновой зависимости и исправно перешел на диету, принимая выписанный врачом «Диабетон». Ему исполнилось сорок лет. И хотя по не понятной никому традиции сорокалетие не отмечается, он собрал весь институт, в котором работал вот уже полтора десятка лет, отпраздновал свой юбилей в лучшем ресторане города и услышал много хороших пожеланий, в том числе и категорический наказ не оставаться холостяком.

Для торжества повод был более чем уважительный. И дело совсем не в его юбилее, а в том, что он наконец стал директором института. Последние несколько лет все только и ждали этого события.

Предыдущему директору было уже за семьдесят, и все понимали, что он просто обязан уступить свое место молодому и перспективному заместителю, который должен со дня на день защитить докторскую диссертацию и встать во главе института, где работало почти две сотни сотрудников.

Старый директор не уходил до последнего, пока очередной, уже третий, инфаркт не отправил его на пенсию. Врачи категорически запретили ему заниматься работой, и старик был вынужден уйти, уступая место своему заместителю. Вот так Вениамин Борисович и стал руководителем самого большого архитектурного института, занимавшегося вопросами градостроительства.

Докторскую диссертацию пришлось на время отложить, чтобы заняться непосредственно текущими делами и начать давно запланированный ремонт здания института. Вениамин Борисович в свои сорок лет был завидным женихом, с большой квартирой в центре города и внедорожником «Ниссан», на котором ездил по выходным дням. В обычные дни за ним заезжала черная директорская «Волга», оставшаяся по наследству от предыдущего директора.

Он вышел из дома точно в восемь сорок пять, сел на заднее сиденье, просмотрел свежие газеты. Ровно в девять он был уже в институте. Кивнув секретарю, пожилой женщине, работавшей здесь уже больше сорока лет, прошел в свой кабинет.

На столе лежала папка с бумагами, которую Вениамин должен был просмотреть еще вчера. Но вчера он был занят совсем другими бумагами и внимательно изучал карту города Омска, куда собирался поехать в ближайшее воскресенье. Он уже успел побывать там дважды, прежде чем отправиться туда в третий раз. Планирование предстоящей поездки было одним из самых приятных моментов в его жизни. Нужно не просто изучить название улиц и площадей города, но и тщательно, до мелочей, разработать каждую деталь поездки, в которой он наметил очередную жертву.

Сотрудники института никогда в жизни не поверили бы, что их подтянутый и вежливый директор является одним из самых опасных сексуальных маньяков, когда-либо появлявшихся в стране.

Он хорошо помнил, как смотрели на него женщины, с которыми он пытался сойтись. Даже те, кто продавал свою любовь за деньги. Смесь жалости и презрения в их глазах воспринималась хуже любых упреков. У него просто ничего не получалось с нормальными женщинами, и постепенно это превращалось в норму. Пожалуй, только Катя могла спасти его. Милая Катя, с которой он познакомился, вернувшись из армии, и начал встречаться, а потом перевез ее к себе домой. Тогда еще была жива мама. Катя была доброй, всепонимающей, терпеливой, заботливой. И рядом с ней у него начало все постепенно налаживаться, он чувствовал себя почти полноценным мужчиной. Катя помогала обрести уверенность, никогда не торопила и не укоряла его. Возможно, она была идеальной партнершей для такого ущербного человека, как он. Ему казалось, что все может получиться, даже подумывал о ребенке. А мать уже открыто говорила, что им нужно зарегистрировать свои отношения и заводить детей. Именно тогда он и пришел на работу в институт, именно тогда и чувствовал себя лучше всего.

Но все закончилось непредсказуемо печально и горько. Он стал подозревать Катю в изменах. Она слишком часто оставалась дома и не приезжала на дачу, где они жили летом с мамой. Однажды он неожиданно вернулся, и ему долго не открывали дверь, пока он не поднялся к соседу и не выяснил, что Вадима тоже нет дома. Когда он спускался, Вадим выходил из его квартиры. Тогда ему и Кате удалось убедить Вениамина, что это — простое совпадение. Он сделал вид, что поверил. Но на Новый год они отправились вместе в ресторан, где Вадим заказал столик. В разгар праздника, еще до того, как куранты пробили двенадцать, все гости сидели за столом, а Вадим и Катя куда-то исчезли. Через несколько минут чувство тревоги заставило Вениамина пойти поискать эту парочку. Он обнаружил их в позах, которые не оставляли никаких сомнений. Самое печальное было в том, как она себя вела в этот момент. Всегда тихая, спокойная, выдержанная Катя превратилась в какую-то неуправляемую самку и стонала так громко, словно хотела, чтобы ее крики услышали все посетители ресторана. С ним она была тихой и деликатной, внимательной и осторожной. А здесь — дикое животное...

Он никогда в жизни не забудет двигающиеся ягодицы Вадима и ее счастливое покрасневшее лицо. Она даже не сняла нового платья, которое он ей купил по случаю Нового года. Вадим пытался оправдываться, бормоча, что это у них в первый раз. Конечно, Вениамин не поверил. И ушел, не дождавшись полуночи.

Потом Катя долго пыталась найти повод, чтобы с ним объясниться, и однажды приехала к нему домой за своими вещами. Мать тактично ушла, оставив их вдвоем. До конца жизни она так и не поняла, что именно произошло между ним и Катей, а он не собирался рассказывать никаких подробностей. Когда они остались вдвоем, между ними произошел спор, даже не спор, а ожесточенная перепалка, и Катя выплеснула ему в лицо все, что думала о его мужской потенции и физических достоинствах. Оказывается, она столько времени притворялась, потому что ее устраивала обеспеченная жизнь в их большой квартире. Она нигде не работала и жила на его содержании, планируя и дальше продолжать таким же образом. Притворяться было несложно, он хотел в это верить, и она давала ему такую возможность. Можно сказать, что Вениамин удовлетворял ее материальные потребности, а сосед Вадим — физические. Это было невыносимо больно и унизительно. Катя впервые позволила себе сорваться, понимая в глубине души, что он никогда не простит ей такого омерзительного поведения. И тогда Вениамин не сдержался. Он набросился на нее, разрывая платье в клочья, и грубо овладел своей бывшей пассией.

В эти мгновения он чувствовал себя сильным, как никогда. И самое главное — у него все получилось, словно гнев прибавлял ему силы. А может, даже не гнев, а ее внезапный испуг, ведь он никогда не вел себя подобным образом, сам испугавшись этого чувства гнева и силы. А ей, похоже, даже понравился подобный сексуальный опыт, и уже после всего происшедшего она снова попыталась с ним помириться. Конечно, он выгнал ее из дома, но ощущение полной удовлетворенности осталось с ним навсегда. Продажные женщины, к которым он пытался обращаться, ничего не могли с этим сделать. С ними он был вялым и расслабленным. Так продолжалось до тех пор, пока он не встретил Риту, тоже работавшую в их институте.

Они начали встречаться. Вениамин уже был перспективным руководителем отдела, и Рита не скрывала, что он ей не просто нравится. Одинокая женщина с ребенком имела определенные виды на будущее. Но с ней у него опять ничего не получалось. В первый раз она его успокоила, во второй — пожалела. Потом ей надоели его срывы, и она начала под любым предлогом избегать встреч с ним. А через некоторое время и совсем ушла, понимая, что он никогда не сможет себя изменить. Вениамин даже всерьез подумывал обратиться к врачу, чтобы попытаться снова обрести уверенность, но хорошо помнил, что несколько предыдущих обращений ни к чему не привели.

Однажды вечером они с Ритой случайно задержались в институте, и он вошел к ней в отдел. Слово за слово, они поспорили, и она ударила его по лицу. Этот удар был как пусковой механизм. Вениамин набросился на нее, снова почувствовал это возбуждение, этот призыв плоти. Рита сопротивлялась изо всех сил. Он боялся, что она закричит и их услышит дежурный вахтер, может, поэтому не сумел довести дело до конца. А может, потому, что она так ожесточенно сопротивлялась.

После этого случая он понял, что именно такого состояния возбуждения, страха, гнева, насилия, ощущения своей власти и силы недостает ему для успешного завершения интимного процесса.

Через некоторое время Вениамин оказался в командировке в столице Киргизии — Бишкеке. Их тогда поселили в какой-то гостинице на краю города, где он случайно встретил женщину, похожую на Катю. В тот вечер он много выпил и, увидев незнакомку, решил с ней познакомиться. Попытался догнать ее на безлюдной улице, но она испуганно побежала от него. В этих местах почти не было ночного освещения, и он ее догнал, повалил прямо на мостовую и попытался изнасиловать, снова чувствуя привычное возбуждение и силу. Но она неожиданно сказала: «Пожалуйста, не надо!» И он сразу же опомнился. В нем тогда еще оставалось нечто человеческое, не до конца убитое его желаниями, бессилием и накапливающейся страстью. Он даже извинился, поднялся и ушел, словно всего-навсего случайно задел женщину плечом.

Но разбуженное чувство страсти бушевало в нем уже с невероятной силой, а вся предыдущая жизнь словно вела его к этому моменту.

В школе он за компанию с друзьями переспал с проституткой и получил тяжелую венерическую болезнь, которую лечил много лет. Затем в армии был сексуальный контакт с избитым «дедами» солдатом, вид крови которого сильно его возбудил. А уже после Бишкека он точно знал, что именно ему нужно. Хотелось испытать чувство своей полной власти, когда жертва дергается в предсмертных судорогах, а он при этом получает, наконец, полное и безусловное удовлетворение.

Все произошло через некоторое время в Харькове, куда он отправился в очередную командировку. Возможно, если бы не долгая проверка на границе, он бы так и не решился на первое преступление. Но Украина теперь была заграницей. Соответственно, сотрудники милиции этой страны искали бы потенциального насильника и убийцу у себя, даже не подозревая, что это может быть приехавший командированный.

Он познакомился в парке с Лидой, которая ему очень понравилась. Им было хорошо вместе, но командировка закончилась, и он уехал домой. Но теперь он знал, что она станет его первой жертвой. Он долго готовился, несколько месяцев обдумывал все детали своего плана, получая удовольствие от одной мысли о насилии. Более того, самоудовлетворяясь, он представлял себе в подробностях все, что будет делать с молодой женщиной.

Вениамин снова отправился в Харьков, где уже успел побывать дважды и все подготовить. Он предусмотрительно позвонил Лиде из Киева, назначив встречу. Женщина доверчиво пришла к старому складу, ключи от которого он заранее приготовил. По вечерам здесь никого не бывало, это он успел проверить. Дальше все было так, как Вениамин и запланировал. Он усыпил ее хлороформом, перенес на склад и раздел, наслаждаясь видом беззащитной жертвы. Потом разбудил ее, иначе в его действиях не было бы смысла. Ему нужна была не неподвижная кукла, а бьющаяся от страха и волнения живая женщина.

Он даже стонал от удовольствия, когда она пыталась кричать и вырываться, и душил ее, получая самое большое удовлетворение в своей жизни. Насилие, совмещенное с сексуальным возбуждением в процессе самого полового акта, доставляло ему неслыханное удовольствие. В глубине души, где еще оставалось место совести и разуму, он понимал, что поступает плохо, гадко, отвратительно. Что совершает дикое преступление, за которое ему не будет прощения ни на этом свете, ни на том. Но в тот свет он не очень верил, а на этом надеялся прожить еще достаточно долго и не попасть в руки сотрудников милиции.

Тело несчастной Лидии спрятал, и его потом так и не нашли, а исчезнувшую молодую женщину занесли в разряд людей, внезапно и без видимых причин пропадающих в городских лабиринтах. Вот так Вениамин совершил свое первое преступление.

Но, вкусив крови, хищный зверь уже не мог остановиться, ему требовалась новая жертва. Теперь Вениамин чувствовал себя гораздо лучше. Более уверенным, более сильным, более востребованным.

Остроумный, начитанный, общительный и галантный молодой руководитель нравился почти всем сотрудницам института. Правда, по институту ходили какие-то слухи о якобы происшедшем инциденте между Вениамином Борисовичем и уволившейся много лет назад лаоранткой. Но, возможно, это были только слухи, так как почти каждая из сотрудниц института, замужняя или разведенная, девица или женщина в годах, тайно симпатизировала Вениамину Борисовичу и уж наверняка не стала бы отказывать ему в подобных «мелочах». Но, к огромному огорчению женской половины института, составляющей больше трех четвертей всего коллектива, он вел себя на работе безупречно, не давая никаких поводов возможным сплетням или пересудам. Более того, в своих секретарях он оставил Пелагею Савельевну, которой несколько лет назад исполнилось шестьдесят, и не собирался менять ее на более молодую и симпатичную. Может, поэтому его так любили и уважали все женщины института. Наверняка у такого мужчины была подруга, с которой он встречался и которую не хотел афишировать перед сослуживцами.

Через некоторое время все предположения подтвердились. Две сотрудницы института увидели своего директора, ужинавшего в ресторане в компании взрослой женщины. На вид ей было больше сорока, но фигура подтянутая и лицо вполне миловидное. Сотрудницы уверяли, что она даже была в чем-то похожа на самого Вениамина Борисовича.

Никто ведь не знал, что это старшая сестра Вениамина — Полина, которая приехала из Сирии, где проживала со своим супругом Марленом Погосяном, чтобы посетить могилу матери и повидаться с братом. И хотя на следующий день она улетела, теперь весь институт знал, что у их директора есть женщина, которую он любит, но по неизвестным причинам не хочет показывать. Подобная таинственность придавала Вениамину Борисовичу еще больше шарма. А он после отъезда Полины уже вовсю планировал новое убийство, понимая, что не только не может, но и не хочет останавливаться. Но на этот раз он выбрал в качестве площадки для своих ритуальных действий соседнюю южную республику.

ГЛАВА 3

На Московский вокзал они прибыли утром на «Красной стреле». Их уже ждали. Два автомобиля сразу отправились в Следственный комитет, чтобы провести там первое импровизированное совещание. В своем кабинете их принял Таир Сабитов, следователь по особо важным делам, который вел расследование убийства Мирры Богуславской. Здесь же присутствовал подполковник Кокоулин, возглавлявший оперативную группу от УВД города. Сабитов был невысокого роста, темноволосый, чисто выбритый, с перебитым носом — очевидно, в молодости занимался боксом. Михаил Ильич Кокоулин, напротив, — высокий, широкоплечий мужчина, с зычным голосом и крупными чертами лица. Он был родом из Якутска и приехал в Санкт-Петербург еще двадцать восемь лет назад поступать на юридический факультет Санкт-Петербургского университета. После окончания получил направление в милицию и проработал там почти четверть века, пройдя путь от сотрудника уголовного розыска до руководителя отдела.

Трое гостей уселись напротив Сабитова и Кокоулина, словно собираясь сыграть неизвестную партию, разыгрываемую обеими командами — «гостей» и «местных».

— Нам только вчера вечером сообщили, что вы приезжаете, — начал Сабитов, — но мы подготовили все материалы по делу о нападении на Богуславскую. Здесь у меня три папки с подробными материалами.

— Следствие уже закрыто? — спросил Резунов.

— Приостановлено, — пояснил Сабитов. — Мы работали достаточно интенсивно четыре месяца. Опросили всех возможных свидетелей на месте происшествия, всех знакомых погибшей, провели целый ряд экспертиз, но все безрезультатно. Постепенно пришли к выводу, что это залетный гость, не из местных. Во всяком случае, не из Павловска, где произошло убийство; там мы проверили буквально каждого.

— Мы сможем проехать на место происшествия? — поинтересовался Дронго.

— Машины нас ждут, — ответил Сабитов. — Но ведь прошел почти год... Не знаю, что еще там можно найти.

— У вас есть карта Павловска?

Сабитов взглянул на Кокоулина. Тот подвинул к себе одну из папок, достал карту и развернул ее перед гостями.

— Вот здесь мы нашли погибшую, — место было помечено крестиком, — между Пиль-башней и мавзолеем, — пояснил подполковник. — Здесь туристы обычно не ходят. Они обычно осматривают так называемые «Двенадцать дорожек», потом идут параллельно молочне мимо вольера к Павловскому дворцу. Дорога немного сворачивает направо, в сторону Павильона трех граций и колоннады Аполлона, так что попасть туда можно, обходя дворцовый комплекс.

— И где эта дорога заканчивается? — уточнил Гуртуев.

— У железнодорожного вокзала, — пояснил Кокоулин и заметил, как выразительно переглянулись гости.

— Тот же почерк, — тихо проговорил Резунов.

— Что вы сказали? — не понял Сабитов.

— У нас есть похожие преступления, — объяснил полковник.

— Я был уверен, что он себя еще проявит, — сказал следователь. — Слишком хорошо все было продумано. Это не спонтанное нападение, убийца готовился к преступлению.

— Почему вы так уверены? — с любопытством спросил Дронго.

— Павловский дворец обычно работает по субботам и воскресеньям, но закрыт в пятницу, когда почти не бывает туристов, — начал Сабитов. — А преступление было совершено именно в пятницу. Дальше. Именно в эту пятницу проводился семинар для сотрудников Павловского музея, и погибшая была в Павловске. Одна из ее коллег вспомнила, что она должна была встретиться с каким-то гостем, который обещал привезти новые книги по творчеству Камерона. И именно в пятницу.

— Интересно, — задумчиво произнес Дронго, — получается, что наш убийца был исключительно образованным человеком, если знал, что Павловский ансамбль в течение двадцати лет возводил Чарльз Камерон.

На этот раз переглянулись Сабитов и Кокоулин.

— Простите, — не выдержал Сабитов, — откуда вы знаете о Камероне? Обычно посетителям рассказывают о Росси и Кваренги. Не очень многие знают, что главным архитектором Павловска был именно Камерон.

— Вы считаете, что опытный криминалист не должен знать ничего, кроме своей работы? — улыбнувшись, вмешался в разговор Гуртуев.

— Конечно, нет. Но про Камерона не знают даже многие местные жители, — ответил Сабитов.

— А ваш убийца знал, — напомнил Дронго. — Значит, человек не просто начитанный, а еще неплохо разбирающийся в архитектуре — если это, конечно, он. Что касается Камерона... Дело в том, что в детстве родители часто привозили меня в Павловск. Мы дружили с семьей одного известного ленинградского адвоката, супруга которого была искусствоведом. Вот ее лекции я и запомнил на всю жизнь. А потом много читал. Между прочим, кроме Росси и Кваренги, там еще успели поработать архитекторы Воронихин и Тома де Томон.

— Хотите ошеломить нас своим интеллектом? — пошутил Сабитов.

— Нет, просто подумал, что мы обязаны обратить внимание на его знание Камерона. Что-нибудь еще?

— Больше никаких зацепок. Семинар закончился примерно в три часа дня. В пять она должна была вернуться домой. Ее друг начал беспокоиться, звонил ей на мобильный, но он был отключен. В семь вечера он поехал в Павловск, но там уже никого не было: утром в кустах нашли тело. Врачи определили, что она погибла между тремя и пятью вечера.

— Фотографии есть? — спросил Гуртуев.

Сабитов подвинул к себе другую папку и достал пачку фотографий.

— На ней почти ничего не было, — пояснил он, а одежду обнаружили в кустах. Она была не порвана, а аккуратно сложена, как будто женщина добровольно согласилась на подобный контакт с насильником. Ее гражданский муж утверждает, что это невозможно. Она была очень брезгливой и никогда бы не позволила себе заниматься сексом в кустах, на голой земле.

— Мужья обычно не знают своих жен, — меланхолично заметил Резунов. — Некоторые способны и не на такие «подвиги».

— Он ее задушил во время полового акта, — продолжал Сабитов. — На руках были видны следы от веревок, поэтому она, очевидно, не могла сопротивляться. Но самих веревок на месте преступления не было.

— В Челябинске и Уфе веревок тоже не было, — вспомнил Гуртуев.

— Посмотрите на погибшую, — мрачно произнес Дронго. — Наши жертвы были гораздо миниатюрнее, чем эта. Он, видимо, опасался, что она может вырваться или позвать на помощь.

— Мы тоже так считаем, — кивнул Сабитов. — Скорее всего, он назначил ей свидание, придумав историю с книгой Камерона, а затем воспользовался ситуацией и убил несчастную.

— Но как он сумел так ловко и быстро раздеть ее? — поинтересовался Дронго. — В ваших местах даже ранней осенью бывает уже достаточно холодно.

— Да, непонятно. Получается, она его знала, если пошла на такой контакт.

— Он готовит преступление, затем приводит свою жертву в бессознательное состояние, раздевает, насилует и убивает ее, — сообщил Дронго. — И это уже не первый случай. Просто тогда вы, очевидно, искали в своем регионе, а надо было объявлять всесоюзный розыск!

Он посмотрел на карту и спросил:

— Сколько минут нужно, чтобы добраться от железнодорожной станции до места, где было совершено преступление?

— Если по основной дорожке мимо комплекса — минут двадцать, а если напрямик через Круглый зал — минут двенадцать, — ответил Кокоулин.

Дронго еще раз посмотрел на карту.

— Сколько ехать в Павловск из центра Санкт-Петербурга?

— Больше получаса, если от Витебского вокзала. Но до Павловска можно доехать и на электричке от станции метро «Купчино».

— Витебский вокзал — это, кажется, метро «Пушкинская»? — вспомнил Дронго.

— Да, правильно.

— Если пассажир прибывает на Московский вокзал, он может довольно быстро добраться на метро до Витебского или даже взять такси.

— Если на такси, то совсем быстро, — ответил Сабитов. — С Невского проспекта поворачиваете на Владимирский и дальше по Загороднему проспекту до вокзала. Буквально минут десять.

— Думаете, что он приехал на Мовсковский вокзал и отправился в Павловск этим маршрутом? — уточнил Кокоулин.

— Нет, наоборот. Я как раз уверен, что он приехал в Санкт-Петербург загодя, может, даже за день до преступления. Или за два. А вот обратно ему нужно было уехать как можно быстрее. На электричке он доезжает до Витебского вокзала, а оттуда — быстро на Московский. У вас есть расписание электричек?

— Хотите узнать, были ли поезда в центр города около пяти вечера? — понял Кокоулин. — Да, были. Мы проверяли. Четыре поезда после пяти, и все шли в центр.

— Ее мобильный проверяли? Посторонних звонков там не было?

— Проверяли. Были. Два телефонных звонка с автомата, установленного недалеко от Московского вокзала. Как раз утром в день убийства, — ответил Сабитов.

Дронго тяжело вздохнул.

— Сколько ей было лет?

— Тридцать шесть. Коллеги очень ее хвалят, говорят, была увлечена своей работой и считалась очень компетентным специалистом.

— Какие были отношения с гражданским мужем?

— Говорят, что превосходные. Мы опрашивали соседей, родственников, коллег. Все в один голос утверждали, что отношения были замечательные. Он даже попал в больницу с сердечным приступом после ее смерти. Ему уже под пятьдесят, довольно большая разница в возрасте. Мы думали, что она могла иметь более молодого любовника, но все, знавшие ее хорошо, категорически отвергали эту версию.

— Он применил «крючок» в виде книги Камерона, — задумчиво произнес Гуртуев.

— Верно, — согласился Дронго. — Нужно узнать, есть ли вообще такая книга?

— Есть, — вмешался Сабитов. — Мы тоже кое-что сделали. Такая книга существует, но это большой раритет. В Санкт-Петербурге — всего лишь несколько экземпляров. Мы проверили каждый; ни один не мог попасть в руки убийцы, это исключено. Подобная книга, выпущенная в конце девятнадцатого века, сегодня стоит больше сорока тысяч рублей. Примерно полторы тысячи долларов.

— Он знает, что именно следует предлагать женщинам, чтобы они согласились на встречу с ним, — кивнул Дронго. — Если бы Попов согласился выдать нам дневник своей убитой супруги... Интересно, чем все же убийца мог соблазнить жену вице-губернатора?

— Остается только гадать, — недовольно заметил Гуртуев.

— Кто нашел тело? — спросил Дронго.

— Охранник. Он как раз утром обходил территорию. Обнаружил тело случайно, просто увидел мелькнувшую среди кустов одежду.

— Одежда лежала рядом с ней?

— Да.

— Отпечатки пальцев?

— Кроме ее отпечатков, других не было.

— В тот вечер шел дождь?

— Нет. Была ясная сухая погода, прохладная только.

— Тогда почему нет отпечатков? Неужели он работал в перчатках? Сексуальный маньяк не стал бы надевать перчатки.

— Он раздевал ее в перчатках, — подсказал Гуртуев. — Я начинаю все больше и больше опасаться этого типа. Он просто аккуратист, пытается предусмотреть каждую мелочь, каждый штрих в своем варварском плане.

— Вы сами говорили, что подобный тип рано или поздно должен будет появиться, —

напомнил Дронго. — Когда мы можем выехать в Павловск?

— Прямо сейчас, — предложил Сабитов. — Машины нас ждут.

В первый автомобиль сели сам Сабитов и двое приехавших экспертов — Гуртуев и Дронго, во втором разместились оба офицера — Резунов и Кокоулин. До Павловска было двадцать семь километров.

— Не знаю, что у вас получится, — признался по дороге Сабитов, — но это дело нас всех очень достало. Всегда обидно, когда не можешь найти преступника, а тут обидно вдвойне. Уже тогда мы понимали, что речь идет не о случайном нападении на искусствоведа, не о бомже, который затащил ее в кусты и изнасиловал. Нет, этот мерзавец тщательно подготовился. Он каким-то образом воздействовал на нее, чтобы она не кричала, сумел осторожно, я бы даже сказал бережно, раздеть. И не убил сразу, мерзавец. Ждал, пока она очнется, чтобы получить удовольствие в процессе насилия и самого убийства. Я бы таких негодяев собственноручно душил, — процедил он сквозь зубы.

— У нее остались дети? — спросил Гуртуев.

— Нет. К счастью, нет. Или к несчастью, не знаю даже, как вам отвечать.

— Это новый тип убийцы, — пояснил Дронго, — убийца-интеллектуал. Теория Ламброзо уже не работает. Раньше убийцами были чаще всего заросшие щетиной типы с квадратными головами, срезанными лбами и оттопыренными ушами. Наш же убийца образован, начитан, умеет нравиться женщинам. Достаточно богат и независим, чтобы совершать вояжи по разным городам. И планирует он свои преступления заранее, знакомясь с жертвами, каждый раз находит нужную «фишку», чтобы обратить на себя внимание и заставить прийти на встречу еще раз. Я даже думаю, что подробное планирование нового преступления доставляет ему не меньшее удовольствие, чем сам процесс насилия и убийства.

— Правильно, — согласился Гуртуев, — у него должны быть наклонности садиста.

— Мы искали его несколько месяцев, — продолжал Сабитов, — но так и не сдвинулись с мертвой точки. Установили только его группу крови. Достаточно редкая — минус три. Но в то же время только в Санкт-Петербурге тысячи людей с такой группой крови. Мы проверили по нашей картотеке всех подозреваемых с этой группой, даже по соседним областям. Одного арестовали, но потом пришлось отпустить, у него было абсолютное алиби — лежал в эти дни в больнице с аппендицитом. Милиция задействовала всю свою агентуру, но ничего не смогли найти. Дело взял под особый контроль прокурор области, но все безрезультатно. И вот наконец мне сообщили о вашем приезде. Знаете, как я обрадовался, поняв, что появляется шанс найти этого мерзавца, если составлена группа из таких известных экспертов, как вы!

Машины подъезжали к Павловску. Не сбавляя скорости, они проехали к дворцовому комплексу. Перед зданием дворца возвышался памятник Павлу I. Гуртуев вышел из машины, взглянул на него, покачал головой.

— Вы знаете, что особенно интересно в этом памятнике? — спросил Казбек Измайлович. — Обратите внимание на его стойку — как он держит в руках трость, как немного наклонилось его туловище. Сейчас ходит много разных споров — каким на самом деле был убиенный Павел: реформатором или самодуром, несчастным непонятым царем, обреченным на убийство фаворитами своей матери, или самодержцем, пытавшимся противостоять бывшим убийцам своего отца? Не знаю, каким действительно он был, но этот памятник довольно точно передает его психическое состояние. Конечно, он был человеком неуравновешенным и мнительным. Немудрено, ведь когда отстранили от власти, а затем убили его отца, он был совсем маленьким. Почти все время он слышал истории о фаворитах своей матери и о том, что должен терпеливо ждать ее смерти, чтобы получить наконец трон. Ну, и сами похороны Петра III, когда он решил перезахоронить прах отца, а убийцы шли впереди гроба. Наверное, все это сказалось на его психотипе. А убийство, совершившееся не без ведома его старшего сына, стало роковой точкой в царствовании этого императора. Убийцам, да и новому императору, было важно представить покойного самодуром, взбалмошным тираном, почти психопатом, чтобы оправдать свои действия. И они достигли своей цели. В мировой истории Павел остался именно таким, каким его — вернее, его образ — сотворили.

Сабитов внимательно выслушал профессора, взглянул на памятник и удивился:

— Неужели можно определить психотип даже по памятнику?

— Если за дело берется такой специалист, как Казбек Измайлович, — улыбнулся Дронго.

Вторая машина затормозила рядом с первой, и из нее вышли Резунов и Кокоулин.

— Идемте, — предложил последний, — я вам все покажу. Хотя там, конечно, никаких следов уже давно нет. Прошел почти год. Но я столько раз сюда приезжал, что знаю это место наизусть.

Они обошли дворец с правой стороны, направляясь к обозначенному месту.

— Простите, профессор, — обратился к Гуртуеву Кокоулин. — Я все время хочу задать вам один вопрос.

— Пожалуйста, — вежливо произнес Казбек Измайлович.

— Этот убийца, судя по всему, неглупый человек. Пытается все продумать, предусмотреть, не оставляет видимых следов. И тем не менее самый главный след остался — его сперма, его ДНК, его группа крови. Когда маньяка поймают, не нужно будет искать никаких доказательств, они уже есть.

— Он рассчитывает, что его не найдут, — сердито сказал Гуртуев, — это во-первых. А во-вторых, он, как настоящий зверь, метит свою территорию, свои жертвы. Ему очень важно состояние удовлетворения. Ведь абсолютно очевидно, что у него определенные проблемы сексуального характера. Следовательно, это проявление его силы, его власти над жертвами имеет колоссальное значение. В процессе насилия он не просто получает удовлетворение — он самоутверждается, если хотите. Я бы даже сказал, для него этот процесс становится просто жизненно необходимым.

— Вы говорите о преступнике так, словно пытаетесь его оправдать, — недовольным тоном заметил Кокоулин.

— Не оправдать, а понять. Иначе мы никогда его не найдем. Я должен понять его психологию, его психотип, возможное поведение. Только тогда можно будет его вычислить.

Дронго шел за ними молча, прислушиваясь к разговору.

«Понять — значит простить, — вспомнил он известную поговорку. Можно ли прощать подобного насильника, даже понимая мотивацию его действий? Как легко быть обвинителем в подобных делах и как трудно найти слова защиты?.. А может, и не надо ничего искать? Ведь когда хищный зверь превращается в людоеда, охотники организуют облаву и стараются покончить с ним как можно быстрее. Их мало волнуют мотивы поведения хищника, который, возможно, от голода или в силу других причин превращается в людоеда. Они четко понимают, что его нужно уничтожить. Мы похожи на этих охотников, пытающихся затравить хищника, — подумал Дронго. — И нас абсолютно не должен интересовать вопрос, каким образом он превратился в такое неуправляемое существо. Мы должны думать только об одном — как его найти и уничтожить. Хотя... хотя наверняка Казбек Измайлович не согласится. Для него убийца — любопытный объект исследования. Но он — ученый. А я всего лишь эксперт по расследованию тяжких преступлений. И моя задача найти убийцу до того, как он снова выйдет на охоту».

ГЛАВА 4

К концу прошлого века самые невероятные перемены происходили в соседнем Казахстане, где местный лидер принял достаточно ответственное и взвешенное решение — перенести столицу своего государства из южного региона в северный, в Астану.

Для этого пришлось даже сменить прежнее, древнее название — Акмола, которое переводится как «белая могила». Город рос словно в сказке, здесь использовались новые технологии, новые градостроительные тенденции, появлялись красивые дома и просторные площади.

Вениамин прибыл сюда, когда город уже несколько лет выполнял свои столичные функции, застраиваясь новыми кварталами. Сюда переезжали семьи чиновников и бизнесменов, открывались посольства, прибывали зарубежные туристы. Во время конференции, проводимой в Астане, Вениамин познакомился с Оксаной Скаловской, работавшей в местной туристической компании. Двадцатидевятилетняя Оксана никогда не была замужем, а несколько лет назад рассталась со своим другом, который был женат и три года морочил ей голову, обещая развестись со своей супругой. Когда Оксана наконец поняла, что он все время ей лгал, она решительно и бесповоротно разорвала с ним всякие отношения. Может, еще и поэтому приехавший мужчина средних лет, с приятными манерами английского джентльмена произвел на нее такое сильное впечатление. Он назвался Вадимом и сообщил, что находится в Астане в командировке. В течение двух дней они все время были вместе, а уезжая, он записал ее телефон и обещал звонить.

Она долго ждала его звонка, и когда он позвонил ей месяца через полтора, не могла скрыть своей радости. Он стал звонить ей не очень часто, но так приятно было слышать его голос и смеяться над его мягкими шутками! А через несколько месяцев Вадим неожиданно приехал в Астану, сообщив Оксане, что пробудет здесь только один день. Этот день они провели вместе. Обедали в маленьком ресторанчике на окраине города, гуляли в еще не оформленном городском парке, где пока росли одни лишь саженцы. Вечером он пригласил ее выпить кофе в своем гостиничном номере. Она сразу согласилась, решив, что это наивная уловка всех мужчин, приглашающих к себе на кофе, чтобы потом перейти к более активным действиям.

Но они выпили кофе в баре гостиницы, и он даже не предложил ей подняться в номер. Оксана была разочарована и даже немного обиделась. Ей казалось, что она должна сначала решительно отказаться, а затем все-таки дать себя уговорить. Ей было даже интересно, как именно будет вести себя в номере гостиницы оставшийся с ней наедине интеллигентный мужчина в хорошо сшитом костюме и в очках, придававших ему академический вид. Но он даже не заикнулся о том, что они могут подняться к нему. Вызвал такси и повез ее домой. Она с трудом сдерживалась, чтобы не расплакаться. Астана, конечно, столица, но найти подходящего друга все равно трудно. Последние два года она ни с кем не встречалась, а единственный мужчина, который ей так понравился, оказался слишком деликатным и нерешительным для своего возраста.

Когда они подъехали к ее дому, Оксана не выдержала — в конце концов, счастье нужно ковать самой — и предложила подняться. Хотя и призналась, что живет не одна, а с мамой. Потом она себя долго за это ругала. Наверняка он согласился бы, но, услышав про маму, передумал. Так и должен вести себя интеллигентный человек, успокаивала себя Оксана. В гостинице он не смел к ней приставать, считая такое поведение непорядочным и недопустимым, а подняться к ней домой поздно вечером тоже не смог, чтобы не беспокоить ее маму. Нужно было объяснить ему, что у них три комнаты, и мама никак не помешает.

Напоследок он поинтересовался, не ведет ли она дневник. Нет, рассмеялась в ответ Оксана. Он галантно поцеловал ей руку, пообещав снова вернуться через три недели.

— Может, тогда и выпьем с вами кофе, — многозначительно улыбнулся он.

Следующие три недели пролетели как во сне. Оксана ежеминутно ждала телефонного звонка, мечтая снова услышать приятный голос. Наконец он позвонил — рано утром, голос был едва слышен, но она сразу узнала его.

— Вечером я буду в вашем городе, — сообщил Вадим, — только заранее никому не говорите об этом, даже вашей маме. Говорят, есть такая примета. Когда вы заканчиваете работу?

— Я могу выйти пораньше, — сразу ответила Оксана.

— Но я могу не успеть. Когда все же вы заканчиваете?

— В пять вечера.

— Тогда в половине шестого встретимся рядом с домом, который находится в конце площади.

— Многоэтажка? — весело уточнила Оксана. — Да, вы говорили, что вам нравится этот дом.

— Именно поэтому, — загадочно произнес Вадим. — Только никому не говорите о нашей предстоящей встрече.

Конечно, Оксана никому не сказала, даже матери. Отпросилась с работы пораньше, чтобы успеть в парикмахерскую, и переоделась в новое платье — самое лучшее. В половине шестого она уже ждала его у высотного строящегося дома, возвышавшегося на площади.

Вадим немного опоздал. В руках у него был небольшой портфель. Она озадаченно взглянула на него; ей казалось, что он должен явиться на это свидание с цветами. Но он только усмехнулся, сухо поцеловал ее и предложил обойти дом.

— Зачем? — удивилась Оксана.

— Увидите, — серьезно ответил он.

И она покорно пошла следом за ним. Они обошли стройку, перелезли через какие-то трубы. Наконец Оксана не выдержала, ее новое платье и обувь не предназначались для «прогулок» по строительным объектам.

— Куда мы идем? — спросила Она. — Вы хотите показать мне стройку? Я не собираюсь прыгать через эти трубы.

— Нам нужно войти в этот дом и подняться на четвертый этаж, — пояснил Вадим.

— На четвертый этаж? Зачем? Что мы там потеряли? Вы меня извините, Вадим, но, если бы я знала, что у вас будут такие планы, я бы нашла в своем гардеробе какой-нибудь комбинезон и ботинки.

— Там будет наша квартира, — сказал он с каким-то странным выражением лица, и она сразу почувствовала себя абсолютно счастливой. Значит, он не просто приехал к ней в гости. Значит, он собирается сделать ей предложение и для этого купил квартиру в новом строящемся доме. Нельзя быть такой злюкой и думать о своей одежде больше, чем о его необычном подарке! Это не просто цветы, это обретение новой семьи, новой надежды. Она согласно кивнула головой, двигаясь за ним.

— Только осторожно, чтобы нас не заметили, — прошептал он. — Сюда пока не пускают посторонних. Дом еще не готов.

— Я понимаю, — прошептала Оксана в ответ.

Черт с ними, с каблуками, если Вадим действительно хочет показать их будущую квартиру. Правда, немного странно, что он пока не сделал ей официального предложения и не спросил ее согласия. Наверное, он уже знает, что она ему не откажет. Если в прошлый раз она приглашала его к себе в гости на кофе и готова встречаться с ним даже на этой стройплощадке, понятно, как она к нему относится. Оксана позволила себе взять его за руку и осторожно подняться по лестнице.

Поразительное свойство современной женщины — доверять первому встречному. Может, поэтому развелось такое количество брачных аферистов и альфонсов? Почти каждая одинокая женщина мечтает в душе встретить надежного друга, почти каждая замужняя мечтает о невероятном приключении, которое может с ней произойти. При этом доверяет не собственному мужу, с которым прожила двадцать лет, а случайному незнакомцу, очаровавшись его голосом и манерами. Возможно, просто в душе каждой женщины живет надежда на некое чудо...

Они поднялись на четвертый этаж. Оксана чуть не сломала каблук, но промолчала. Ей было интересно увидеть «свое» новое жилище. На четвертом этаже уже были вставлены стеклопакеты. Вадим прошел куда-то вглубь, и она, спотыкаясь, поспешила за ним.

— Где вы? — спросила Оксана и в этот момент почувствовала, как сильные руки обхватили ее, и на лицо легла мокрая повязка...

Пришла в себя Оксана от еще более резкого запаха. Он стоял над ней и держал в руках какой-то открытый пузырек. Она закашлялась, чихнула, попыталась подняться, но почувствовала, что не может пошевелиться. Руки были связаны. Она с ужасом обнаружила, что лежит прямо на полу, на какой-то простыне. Лежит в одном нижнем белье. Одежда отброшена куда-то в угол. Что здесь происходит? Она изумленно подняла голову. Вадим стоял над ней абсолютно голый, даже без очков. Выражение лица у него было какое-то отрешенное и немного злое.

— Что вы делаете, Вадим? Это такая игра? — робко спросила Оксана, все еще надеясь на лучшее. — Зачем вы меня связали?

Она попыталась повернуться и увидела на простыне кусочек разорванных колготок. Это напугало ее больше всего остального. Значит, он не собирался возвращать ей одежду.

— Что вам нужно? — уже дрожащим голосом спросила Оксана.

— Молчи, — прошипел он, наклоняясь к ней. — Лучше молчи. — И сорвал с нее бюстгальтер.

— Не нужно, — простонала она. — Пожалуйста, развяжите мне руки. Я могла и сама раздеться. Только сегодня не нужно. Давайте завтра. Сегодня я не могу...

Вадим презрительно усмехнулся. Очевидно, подобные уговоры на него не действовали. Он сильно сжал ее в своих объятиях.

— Но почему так грубо? — прошептала Оксана. — Я же вам говорю, что сегодня нельзя...

Его руки уже срывали с нее остатки одежды, когда он неожиданно замер и громко выругался. У нее действительно были месячные. Увидев это, он окончательно разозлился. Несколько месяцев готовиться к этому дню, все продумать, ходить на эту стройку, выбирать нужное место — и столкнуться с такой неожиданностью, которую никак не мог предусмотреть!

Он снова выругался.

— Я же вам сказала, что сегодня нельзя, — испуганно повторила Оксана. — Развяжите мне руки. Здесь холодно, и мне больно лежать на полу.

Она боялась смотреть на его лицо. Это было лицо совсем другого человека. Или даже не так. Это была мертвая нечеловеческая маска. Он часто задышал, словно пытаясь унять собственное сердцебиение. Затем зарычал и резко повернул ее к себе спиной. Она почувствовала его прикосновение, попыталась крикнуть, но он уже зажимал ей рот своей сильной ладонью. Она забилась в его руках, начала хрипеть, а он продолжал стонать, сотрясаясь всем телом.

Через несколько минут все было кончено. Он опустил ее на простыню и лег рядом. Попытался успокоиться. Кажется, все прошло почти нормально, если не считать этой неожиданности. Затем погладил ее по голове, испытывая к своей жертве какое-то чувство жалости и сострадания. Готов был даже заплакать от умиления, глядя на ее изогнувшееся тело. Он поднялся и начал одеваться, стараясь больше не смотреть на несчастную женщину.

Вытащил из-под нее простыню, сложил ее одежду и простыню в портфель, обувь выбросил куда-то вниз, а тело оттащил в угол и засыпал строительным мусором. Спустился вниз и направился к выходу. Уже на самой площадке его окликнул охранник, но Вениамин, ускоряя шаг, прошел дальше. Охранник посмотрел на спешащего мужчину и махнул рукой. Наверное, кто-то из проверяющих, задержавшийся на площадке. В последнее время их так много шныряет на стройке. А этот, в очках и с портфелем, видимо, начальник.

Вениамин спешил на вокзал. Через полтора часа поезд увозил его обратно в Россию. В купе рядом с ним оказалась семья, мать и двое маленьких детей — девочки-близнецы шести лет. Они весело щебетали и доверчиво льнули к незнакомому мужчине, рассказывая ему, что их старший брат Павлик совсем не слушается мамы и даже позволяет себе не завтракать по утрам. Мать, полная женщина лет тридцати пяти, ласково улыбалась попутчику.

— Дети сразу чувствуют хорошего человека, — убежденно сказала она.

Вениамин встал и направился в туалет. Вымыл руки, лицо, вытерся носовым платком и посмотрел на себя в зеркало. Снял очки, которые он надевал, выезжая в другие города, чтобы несколько изменить свой облик. Очки были с обычными стеклами, но облик менялся до неузнаваемости.

— Я превратился в психопата, — прошептал он, — в настоящего зверя. Это уже второй случай. Что дальше делать?

Вениамин боялся признаться даже самому себе, что ему понравился и этот опыт. Даже такой, не совсем обычный, к которому раньше он и не думал прибегать. Ему нравился сам процесс насилия, нравилось пробуждавшееся вожделенное чувство силы, когда все органы послушно и четко работают. Он тяжело вздохнул и тихо проговорил:

— Значит, нужно продолжать. Теперь можно искать и в «родных краях». Надо только тщательно все подготавливать, чтобы исключить всякую неожиданность. Хотя, наверное, все неожиданности исключить невозможно.

Вениамин вернулся в купе. В эту ночь он спал спокойно, словно ребенок. А утром чувствовал себя так хорошо, что уже не задавал себе тревожных вопросов.

ГЛАВА 5

Осмотр места происшествия в Павловске затянулся до полудня, после чего они сразу отправились в аэропорт, откуда должны были вылететь через Москву в Курган. Дронго недовольно поморщился при виде самолета, а устроившись в кресле, тут же попросил стюардессу принести ему немного коньяка. Сидевший рядом Резунов осторожно спросил:

— Не любите летать?

— Терпеть не могу, — признался Дронго. — Но что делать? Как попасть в Курган за один день? Возвращаться в Москву и потом трястись по железке два дня? У нас просто нет столько времени. Приходится терпеть.

В этот момент самолет довольно ощутимо тряхнуло. Он опять подозвал стюардессу.

— Принесите еще коньяк. — И добавил: — Боюсь, сегодня я буду нетранспортабелен.

— Ничего, — ответил Резунов, — мы все равно прибудем туда поздно вечером. Все наши мероприятия придется перенести на завтра. А Казбек Измайлович, кажется, заснул.

— Железный человек, — восхитился Дронго. — Он ведь намного старше нас обоих, а его силе позавидует любой молодой человек.

— Всегда хотел узнать, — неожиданно спросил Резунов, — это правда, что в молодости вы дрались с самим Миурой?

— Правда, — немного помолчав, ответил Дронго. — Только не дрался, а лишь пытался защитить свою жизнь. Несколько секунд чудом продержался. Потом он меня все равно убил бы, если бы не подоспели мои товарищи.

— Тогда зачем вы полезли в драку? Он ведь известный спортсмен.

— Молодой был, глупый, самонадеянный. Я занимался немного боксом, немного карате. При моем росте в метр восемьдесят семь я весил тогда около восьмидесяти пяти килограммов — почти идеальное соотношение веса и роста. Было два варианта: либо попытаться сбежать, либо драться. Я рискнул, хотя сейчас понимаю, что это было просто глупо. Сейчас бы я просто сбежал.

— Сейчас понятно, — улыбнулся Резунов, — прошло столько лет.

— С возрастом мы становимся мудрее, — печально заметил Дронго, — зато силы уже не те. Одно дело — драться в двадцать девять, и совсем другое — пытаться в сорок девять. Разные варианты. Хотя у меня был и другой случай, менее известный, но уже в Америке, в одном из баров Лос-Анджелеса. Мой визави пришел на встречу с двумя чемпионами-тяжеловесами по боксу. Две такие черные громадины стояли за его спиной, примерно моего роста и в несколько раз шире. Достаточно было посмотреть на них, чтобы понять — шанса нет ни одного. Я немного занимался боксом и прекрасно представляю, что такое американский профессиональный бокс. Это гораздо хуже, чем драка на улице. Эти двое ребят могли спокойно уложить всех находившихся в баре людей, а там было человек пятьдесят. Один удар профессионального боксера-тяжеловеса может отключить вас на всю оставшуюся жизнь. Они не сделали бы из меня отбивную котлету только потому, что их первый удар стал бы для меня и последним. Но мне нужно было поговорить с их боссом и рассказать о неприятных для него вещах. Я, конечно, сказал все, что должен был, но это было очень опасно. Он мог в любой момент разозлиться, и я бы наверняка не продержался и трех секунд против этих громил. Но все обошлось... Уже позже я понял, какой участи чудом избежал. — Он помолчал немного и добавил с улыбкой: — Но вообще-то лучше не проводить подобных экспериментов. Хотя в нашей профессии иногда приходится рисковать.

— Вы думаете, мы его найдем? — спросил Резунов. — Этого интеллектуального подонка?

— Должны найти. Иначе зачем вообще этим заниматься. У вас репутация одного из лучших профессионалов в системе МВД, а профессор Гуртуев наверняка лучший психоаналитик в России. Если добавить мои скромные возможности, мы просто обязаны его вычислить, каким бы интеллектуалом он ни был. Три головы всегда лучше одной. Самое главное, что человек не может постоянно находиться в таком напряжении. Он ведь не сумасшедший и понимает всю сложность своего положения, осознает, насколько преступны и бесчеловечны его действия. Но остановиться уже не может. Однако он обязательно начнет совершать ошибки. Вернее, он их уже совершил, просто надо более внимательно проанализировать все его действия в тех городах, где он успел побывать. Книга о Камероне — очевидная ошибка. Он впервые себя выдал, не думая, что его жертва расскажет об этой книге своей подруге. Его расчет строился на том, чтобы привлечь ее внимание. А она была настолько увлечена своей работой, что поделилась радостью с подругой. И этим пробила первую брешь в его защите.

— Думаете, это была ошибка?

— Безусловно. Меня больше всего интересует, каким образом он смог уговорить супругу вице-губернатора подойти к соседнему зданию. Если бы только Попов отдал нам дневник!..

— Он сказал, что уничтожил его, — напомнил Резунов.

— Я убежден, что он соврал. Я ведь разговаривал с ним. Это молодой карьерист, уверенно продвигающийся по служебной лестнице. Конечно, он по-своему любил свою погибшую жену, но не уверен, что это было настоящее чувство. Ведь нам удалось узнать, что отец его супруги был близким другом губернатора области; возможно, Попов женился еще и для того, чтобы сделать удачную карьеру. А она, возможно, это чувствовала. Такие люди, как Попов, достаточно осторожны. Если у них были какие-то трения или разногласия, он не стал бы уничтожать дневник ни при каких обстоятельствах. Это ведь и его алиби, которым он будет дорожить.

— Может, вы и правы, — подумав, согласился Резунов, — хотя кто его знает...

В Москву они прилетели в Шереметьево, на машине добрались до Домодедова, откуда вылетели в Курган.

На этот раз место Дронго оказалось рядом с профессором Гуртуевым. Когда принесли ужин, профессор заправил салфетку за воротник и принялся с аппетитом есть. Дронго посмотрел на него с некоторой завистью — лично у него такого аппетита не было.

— Напрасно отказались от ужина, — заметил Казбек Измайлович. — Я ведь вижу, как вы нервничаете в самолетах во время перелетов. В таких случаях нельзя оставаться голодным. Тем более что вы обычно пьете коньяк.

— Я не хочу есть, — ответил Дронго. — По-моему, осмотр места происшествия и эти фотографии с натуралистическими подробностями могут отбить любой аппетит.

— Хватит, — мягко попросил Гуртуев, — вы же известный эксперт. Представляю, сколько подобных фотографий видели в своей жизни и сколько раз бывали на местах преступлений. Это ведь я по большей части теоретик, а вы у нас практик, да еще какой практик! Неужели на вас до сих пор действуют все эти ужасы?

— Еще как, — признался Дронго. — Не могу привыкнуть к преступлениям. А с годами становлюсь еще и сентиментальным.

— Это нормально, — улыбнулся профессор. — Что вы думаете о случае в Павловске?

— Безусловно, спланированное убийство. Судя по почерку и группе крови, это тот самый убийца, которого мы ищем.

— Видимо, да. Но он забрался достаточно далеко от места своего проживания.

— Мне кажется, мы напрасно сужаем наши возможности, — неожиданно сказал Дронго. — Ведь границ между странами СНГ не было с самого начала. А мы имеем дело с человеком очень неглупым и образованным. Если примерно год назад он решился на подобное преступление в Санкт-Петербурге, довольно далеко от Урала, возможно, его предыдущие преступления были в других городах, находящихся еще дальше. Очень может быть, что свои первые преступления он совершал в соседних республиках.

— Интересная мысль, — встрепенулся Гуртуев. — Нужно попросить нашего друга полковника Резунова послать срочные запросы в соседние республики. Украина, Белоруссия, Молдавия. Куда еще?

— Закавказские и среднеазиатские республики, — напомнил Дронго. — И надо обратить внимание на то, что ему нравятся блондинки определенного типа. Хотя погибшая Богуславская была достаточно плотной женщиной, но все равно блондинкой.

— Пусть проверят, — согласился Гуртуев, — и пусть укажут, что это очень срочный запрос, иначе ответы могут прийти через несколько месяцев. На Востоке время идет гораздо медленнее, чем на Западе. Вы не обращали на это внимание?

— Вы правы, — рассмеялся Дронго. — Это действительно так.

Гуртуев съел свой ужин и, устроившись поудобнее, заснул. А Дронго еще долго ерзал в своем кресле, ожидая, когда командир лайнера объявит о посадке самолета. Они приземлились в девятом часу вечера. Шел сильный дождь. Встречающие их сотрудники милиции были в плащах. От группы отделился высокий мужчина с вытянутым лицом, зачесанными назад волосами и светлыми глазами.

— Полковник Шатилов, — представился он, — заместитель начальника областного УВД. Мы приехали за вами.

Они обнялись с Резуновым, расцеловались.

— Здравствуй, Витя, с приездом, — радостно приветствовал полковника Шатилов.

— Добрый вечер, Женя, спасибо за встречу, — поблагодарил его Резунов и повернулся к остальным: — Мы вместе учились.

— Отправьте срочное сообщение в Москву, — попросил Дронго, обращаясь к Резунову, — прямо сегодня ночью. В ваш информационный центр. Пусть затребуют информацию из соседних стран СНГ. Возможно, там за последние два-три года были похожие случаи неожиданного исчезновения молодых женщин либо их убийства. Передайте приметы убитых — мы приблизительно знаем тип женщин, которые ему нравятся. И учтите, это очень срочно.

Их уже ждал микроавтобус, в котором гостей повезли в местную гостиницу. Из-за сильного дождя ничего не было видно.

— Не нашли пропавшую женщину? — поинтересовался у Шатилова Резунов.

— Не нашли, — ответил тот. — Она словно сквозь землю провалилась. Мы искали целый месяц, потом поиски прекратили. Теперь она числится среди пропавших без вести.

— Она замужем? — спросил Дронго.

— Да. У нее осталось двое детей.

— Мужа проверяли?

— Конечно. Он — начальник управления в городской мэрии. Очень переживает, пытался найти ее самостоятельно, даже приглашал частных экспертов из Москвы. Но все безрезультатно.

— У них были конфликты или ссоры?

— Насколько нам известно, они жили достаточно дружно. Она была очень уважаемым человеком. К тридцати трем годам успела защитить диссертацию и стать заведующей лабораторией. Прекрасная мать, хорошая жена, очень толковый сотрудник. Можете себе представить, что ее место до сих пор не занято, там работает исполняющий обязанности заведующего. Они все еще верят, что ее сумеют найти.

— А вы не верите? — уточнил Дронго.

— Я вообще не верю в чудеса, — честно признался полковник Шатилов. — Она пропала больше полугода назад, еще ранней весной. Никаких следов мы не нашли. Если бы она была жива, то нашла бы хоть какую-то возможность подать весточку, учитывая, что у нее остались двое детей. Знаете, от мужа сбежать с любовником можно, а от детей обычно не убегают. В моей практике таких случаев никогда не было.

— У вас река замерзает? — неожиданно спросил Гуртуев.

— Мы искали и там тоже, — понял его вопрос Шатилов. — Нашли тело одного бомжа, утонувшего зимой. Но ее тела так и не нашли.

— Почему ваши считают, что ее убили? Может, она упала и ударилась головой, а сейчас находится где-то в лечебнице и ничего не помнит о случившемся? — предположил Резунов.

— Мы проверили все больницы не только в нашей области, но и в соседних областях, — продолжал Шатилов. — Она ведь была совсем молодой женщиной. Таких обычно берут на особый учет. И одета была достаточно стильно. В тот вечер, когда она исчезла, на ней была легкая замшевая дубленка. Ее муж очень неплохо зарабатывает, да и сама она получала приличные деньги.

— Что говорят в ее институте? — поинтересовался Дронго.

— Жалеют, очень много рассказывают о ее положительных качествах. Говорят, что была очень неплохим специалистом, готовилась защитить докторскую диссертацию. Не успела...

— Ее институт находится далеко от дома? — спросил Резунов.

— Это не институт, а научный медицинский центр, — пояснил Шатилов. — Ты напрасно думаешь, что мы здесь — провинциалы и ничего не соображаем. Все проверяли по нескольку раз. Всех пациентов, которые были там в день ее исчезновения, всех ее коллег, сотрудников ее лаборатории. У нас такие случаи происходят не каждый день. Если бы пропал какой-нибудь бомж или безработный, приезжий «гость» из Средней Азии, — это одно, а если пропадает мать семейства, супруга уважаемого человека, заведующая лабораторией — совсем другое. На поиски мы бросили весь личный состав, проверили все заброшенные дома, все пустые строения. Из центра до ее дома ехать минут двадцать, и она обычно ездила на своем автомобиле — у них есть две машины, и она умела водить. Но в тот вечер возвращалась на автобусе, это многие видели. И все — потом она исчезла. А села в автобус потому, что именно в эти дни поставила свою машину на ремонт. Муж уверяет, что иногда она не брала машину, когда знала, что задержится на работе или куда-то поедет. У нее было слабое зрение, и ночью она старалась не садиться за руль. В таких случаях звонила мужу, чтобы он прислал служебный автомобиль или заехал за ней сам.

— Значит, она знала, что в этот вечер машина ей не понадобится, так как собиралась задержаться, — понял Дронго.

— Да, — кивнул Шатилов, — получается, так. Она села в автобус, и потом ее никто не видел. Мы проверили каждую стоянку автобуса — никаких следов.

— Ее телефон? — напомнил Резунов.

— Все звонки отследили, — сообщил Шатилов. — В последний день, когда она так неожиданно исчезла, на ее телефон поступило восемь звонков. Два от мужа, один от старшего сына, ему уже двенадцать. Еще два — от коллег. Остальные — из других городов, мы проверили; один звонок был от коллеги из Новосибирска, седьмой — из Челябинска, восьмой...

— Стоп! — резко перебил его Резунов. — Кто звонил из Челябинска?

— Не знаем. Звонили с вокзала. Возможно, кто-то из ее знакомых.

Полковник взглянул на своих коллег и прошептал, словно боясь, что их могут подслушать:

— Он готовился к убийству в Челябинске и решил позвонить ей оттуда.

— Звонок был рано утром? — спросил Дронго.

— Примерно в десять тридцать.

— Это не тот звонок, — убежденно сказал Дронго. — Ведь она уже утром отправилась на работу не на машине. Значит, знала, что предстоит важная встреча. Это был последний, уточняющий звонок.

— Машина стояла на ремонте, — напомнил Шатилов.

— И убийца об этом знал, — предположил Дронго. — А восьмой звонок откуда?

— Из Москвы. Там живет ее сестра.

— Ясно. Городские телефоны проверяли? За день до ее исчезновения?

— Мы проверили все телефоны, в том числе получили распечатки разговоров ее мужа, сотрудников лаборатории и даже ее сыновей, — ответил Шатилов. — Неужели вы думаете, что мы могли это упустить?

— И ничего странного не обнаружили? Неизвестных звонков от посторонних людей или из других городов?

— За день до ее исчезновения был непонятный звонок из Перми. Тоже с вокзала. Поздно вечером. Муж вспомнил, что она просила неизвестного ему Вадима Тарасовича привезти ей материалы для защиты докторской. Он якобы собирал материалы по экологии области, и это как-то связано с ее работами.

— Получается, что он эколог? — вмешался Резунов.

— Мы не можем его найти. Экологов с такими инициалами у нас в области нет. Проверили и все соседние области. Там тоже нет таких, — пояснил Шатилов.

— Муж погибшей никогда раньше не слышал этого имени? — спросил Дронго.

— Нет. Никогда. Он даже удивился и хотел узнать у супруги, кто это, но она отшутилась, сказав, что уже поздно ревновать.

— Вадим Тарасович, — медленно повторил Дронго. — Неужели это тот, кого мы ищем?

— Он бы не стал называть свое настоящее имя, — возразил Гуртуев, — не тот психотип.

— Я тоже так думаю, — согласился Дронго. — Но он все равно назвался каким-то именем. Почему Вадим Тарасович?

— Мы его искали достаточно долго, двое наших сотрудников даже выезжали в Пермь, но там никто не знает врача с таким именем и отчеством. Проверили даже всех химиков и биологов, ведь тема ее докторской была связана с медициной и экологией, но никого не нашли, — ответил Шатилов. — Кажется, мы уже приехали. Только выходите быстрее. Видите, какой ливень начался. Давно не было такого дождя, просто тропический ливень. Совсем не характерно для поздней осени.

Они выбрались из машины и побежали к гостинице. Шатилов замыкал процессию.

— Мы сделали все, что могли, — убежденно проговорил он. — И совсем не обязательно считать, что она стала жертвой вашего маньяка. Возможно, она попала в аварию, утонула или с ней случилась какая-нибудь другая неприятность.

— Блондинка тридцати двух лет, — заметил Гуртуев. — В таком возрасте обычно не теряют память. Уж слишком она подходит под описание наших жертв.

— Вадим Тарасович, — напомнил Дронго. — Каким бы выдержанным и способным ни был этот человек, он должен волноваться. Тем более, когда разговаривает со своей будущей возможной жертвой. Значит, он не мог назвать первое пришедшее ему в голову имя. Оно должно быть с чем-то связано. Вы так не считаете, Казбек Измайлович?

— У него очень сильная воля, — ответил Гуртуев, — но, возможно, вы правы. Эту версию следует проверить.

— И еще один фактор, — добавил Дронго. — Вечером он звонит с вокзала в Перми, а утром из Челябинска, если это тот самый убийца. Сколько времени идет поезд из Челябинска в Курган?

— Если скорый, то часов пять, — ответил Шатилов.

— Тогда все сходится. На одной из стоянок ее должен был ждать человек, который раньше бывал в вашем городе. И этот человек — тот самый убийца, которого мы ищем.

— В таком случае куда она пропала? — спросил Шатилов.

— Вот это мы и должны выяснить, — твердо проговорил Дронго.

ГЛАВА 6

Два нападения в Харькове и Астане вдохновляли его на новые подвиги. Теперь он был уверен, что сумеет сделать все как нужно и совершить очередную попытку. Вениамин понимал и другое: рано или поздно его могут обнаружить, вычислить, найти. Он был хорошо образован, любил читать детективную литературу и отчетливо сознавал, что опытный следователь, так или иначе, умеет разыскать любого преступника. Но остановиться уже не мог. То чувство удовлетворения, которое он получал во время этих изуверских актов, не просто высвобождало его энергию, а делало его сильнее, спокойнее, увереннее в своих силах. И вместе с тем заставляло мечтать о новых подобных актах, становившихся жизненно необходимыми, как наркотик.

В Санкт-Петербург он приехал летом, примерно через год после событий в Астане. Он несколько раз бывал до этого в Северной столице и был по-настоящему влюблен в этот идеально расчерченный город. Любой специалист, имеющий отношение к градостроительству и архитектуре, не мог не восхищаться творениями известных мастеров прошлого, создавших неповторимый ансамбль дворцов и набережных одного из самых красивых городов мира.

И вместе с тем в облике города была некая условная обреченность — ведь частые наводнения так или иначе сказывались на нем. Было в этом нечто схожее с Венецией, которая медленно уходила под воду, погружаясь все глубже и глубже. Может, поэтому ему так нравились эти города — вода, окружавшая здания, порождала удивительное сочетание красоты и смерти.

Он отправился на экскурсию сначала в Петергоф, затем в Павловск. Уже в Павловске он обратил внимание на симпатичную блондинку, оживленно рассказывающую группе австралийских туристов историю Павловска. Под конец она сказала, что основным архитектором дворцового комплекса был Камерон, который на протяжении почти двадцати лет создавал этот уникальный ансамбль. К сожалению, добавила незнакомка, многие проекты и творения Камерона оказались забытыми.

Вениамин неплохо понимал английский. Несколько лет назад он усердно занимался им, чтобы общаться с гостями, приезжающими в их институт из-за рубежа.

— В конце девятнадцатого века была выпущена книга, посвященная творчеству Камерона, — обратился он к незнакомке на английском языке. Она живо обернулась к нему и уточнила:

— Вы тоже с этой группой?

— Нет, я из России, — улыбнулся Вениамин. — Позвольте представиться, Вадим Тарасович, специализируюсь на книгах об искусстве и поэтому знаю об этой книге.

— А я никогда о ней не слышала. — У нее были синие глаза и роскошные светлые волосы. Впечатление немного портил нос с небольшой горбинкой. — Меня зовут Мирра. Мирра Богуславская, старший научный сотрудник. Меня попросили провести экскурсию для наших австралийских гостей.

— Я слышал, как интересно вы рассказывали, — улыбнулся Вениамин. Когда было нужно, он умел производить хорошее впечатление. — Если позволите, я постараюсь найти эту книгу.

— Не может быть! — ахнула женщина. — Неужели найдете? Ведь это такой раритет.

— Правильно, но я постараюсь. Вы можете дать мне свой телефон?

— Разумеется. — Она достала визитку, протянула ее Вениамину. — Там указаны все мои телефоны.

— Я не взял своей визитки, но обязательно вам перезвоню, — пообещал он.

Ему было приятно смотреть на эту упругую, немного полноватую женщину. И хотя ее фигуру нельзя было назвать идеальной, она ему нравилась, и он уже представлял себе, как именно она выглядит без одежды. Но Вениамин понимал, что необходимы вы-

держка и терпение. Нужно приехать сюда
еще раз, чтобы все проверить на месте, найти
подходящее место и выбрать момент для нападения.

Через месяц он снова прилетел в Санкт-
Петербург. Было нетрудно узнать, что в Пе-
тергофе выходной день бывает по вторникам,
а в Павловске — по пятницам. Он нашел подходящее место в кустах, которое невозможно
было увидеть со стороны проходивших на
некотором расстоянии дорожек, и лично проверил все на месте, прежде чем позвонить
Богуславской. Оставалось узнать, в какую
именно пятницу она будет в Павловске.
И здесь ему помог случай — Мирра сообщила, что приедет в музей на семинар.

Вениамин позвонил ей с вокзала, предложил встретиться в условном месте и сказал,
что привез наконец книгу. Она благодарила
его с таким восторгом, что на мгновение он
даже почувствовал угрызения совести.

В пятницу он приехал в Павловск на электричке, углубился в парковую зону, чтобы
выйти к условленному месту и уже там
ждать свою жертву. Она немного опоздала и

буквально прибежала к месту своей гибели, даже не подозревая, с чем именно ей придется столкнуться. Остальное было уже привычным делом. Он применил хлороформ и, когда она обмякла, осторожно потащил ее в кусты, где предварительно постелил свежую простыню. На этот раз он долго и тщательно раздевал ее, наслаждаясь самим процессом. Аккуратно сложил ее одежду в кустах и разделся сам. Снял с себя перчатки. Обычно он оставлял на своей жертве только нижнее белье, это раззадоривало его еще сильнее. Но в этот раз снял с нее все, прежде чем приступить к самому акту насилия. И только потом разбудил женщину, поднеся к ее носу пузырек с нашатырным спиртом. Она дернулась, закашлялась, в открывшихся глазах появился нарастающий ужас, попыталась закричать, но он сжал ей рот своей сильной ладонью. Как ему нравились такие глаза, расширяющиеся от безумного страха! Как нравилось, когда интеллигентная, красивая, уверенная в себе женщина превращалась в безумную самку, находившуюся в полной его власти. Незабываемое ощущение силы переполняло его в такие моменты.

Когда он начал ее насиловать, она попыталась вырваться. В ее глазах даже мелькнул гнев, что его немного позабавило. Но вырваться было невозможно. Левой рукой он закрывал ей рот, а правой крепко сжимал горло, чувствуя, как жизнь постепенно уходит из этого тела. Она долго сопротивлялась — он даже удивился, как долго...

После этого нападения он стал носить с собой кастет, купленный на барахолке и позволявший чувствовать себя более уверенно. Но именно этот, третий, случай оказался самым приятным. Он чувствовал не просто удовлетворение, а настоящий взрыв, невероятный выброс энергии, долгожданное счастье, которое так долго искал.

Вениамин оставил ее одежду в кустах, забросал тело листьями и, быстро одевшись, пошел к вокзалу. Вечером он уже уезжал в Москву, чтобы утром улететь оттуда в свой родной город. Теперь его уже не мучили вопросы, кем именно он был. Он — убийца, насильник, сексуальный психопат с явными отклонениями. По-другому у него просто ничего не получалось. И он пытался оправдать себя, словно его невероятным скотским действиям можно найти какое-то оправдание. Но он уже точно знал, что ему просто необходимы насилие и убийство, для того чтобы удовлетворять свою похоть.

Большинство сексуальных преступлений связаны именно с такими отклонениями у мужчин, когда в силу различных причин они не способны к обычному сексуальному контакту. Истоки этого чаще всего лежат в детстве. Некоторые из извращенцев понимают всю пагубность подобных увлечений и пытаются бороться со своими наклонностями, но почти ни у кого не получается. Требуется не просто сильная воля, нужно осознание своей ущербности, чтобы реально бороться с пороками. Но именно на это не хватает сил и желания.

Он вернулся в родной город в субботу днем и два дня просидел дома, все время принимая горячую ванну, словно пытался отмыться от грязных листьев, прилипавших к его спине, когда он катался по земле.

Вечером в воскресенье позвонила заведующая отделом его института. Это была тихая интеллигентная женщина пятидесяти восьми лет, проработавшая в институте всю свою жизнь.

— Извините, что беспокою вас дома, Вениамин Борисович, — начала она, — но я хотела напомнить, что вы должны вылететь в Санкт-Петербург завтра утром.

— Что? — испугался он. — Почему в Санкт-Петербург? О чем вы говорите? Почему завтра утром?

— Во вторник там начинается международная конференция, — удивилась сотрудница. — Вы же сами просили взять вам билет и напомнить об этой командировке.

— Действительно, — слегка успокоился он. — А разве конференция состоится во вторник?

— Именно во вторник. Мы получили приглашение еще летом, когда вы поехали туда в первый раз.

— Да, конечно, — быстро произнес Вениамин. — Я просто не помнил, что нужно вылетать завтра. Давайте сделаем так, Зинаида Никаноровна: вы поменяете мой билет и завтра полетите туда вместо меня. Думаю, так будет справедливо и правильно.

— Что? — растерялась женщина. — Что вы такое говорите? Там ждут именно вас. Вы внесены в список участников конференции, они забронировали для вас место в президиуме.

— Ничего, — успокоил он ее, — сядете вместо меня в президиум. Вы у нас как раз специалист по городской архитектуре. Ну, кто, как не вы, может достойно представлять наш институт на этом форуме. Когда вылетает самолет?

— В половине первого, — тихо сообщила Зинаида Никаноровна.

— Очень хорошо. Завтра утром заезжайте в институт. Я позвоню в бухгалтерию, и вам выдадут командировочные. Можете задержаться в Питере еще на несколько дней, — великодушно разрешил Вениамин. — Когда еще выберетесь в такой прекрасный город? Летите, так будет правильно.

— А вы?

— Я плохо себя чувствую, поэтому два дня не выходил на работу. Летите и ни о чем не думайте.

— Спасибо. Большое спасибо, — взволнованно произнесла Зинаида Никаноровна, — и до свидания.

Вениамин попрощался и положил трубку. Он действительно совсем забыл об этой конференции. В последние дни думал только о старшем научном сотруднике из Павловска. Нельзя допускать подобные оплошности. Это первый шаг к настоящей шизофрении.

С другой стороны, его так легко вычислить. Напрасно он сказал Мирре о книге Камерона. Ведь о ней знают только специалисты. Он обвел глазами кабинет. Следует подстраховаться. Предусмотреть возможность своего внезапного исчезновения, чтобы появиться в другом месте и в другом качестве. Значит, завтра с утра он этим займется. Ему надо добыть паспорт на чужое имя. Но где его взять? Нужно поговорить с их завхозом, он человек достаточно опытный, и у него есть связи. Еще найти какое-нибудь убежище в другом месте. И, конечно, деньги. Он так глупо держит все свои деньги в одном банке. Надо открыть счет на новую фамилию, так будет правильно, и часть денег перевести туда. Если понадобится, он исчезнет навсегда, и никто не сможет его найти. Для этого лучше всего обосноваться где-нибудь в одной из соседних республик. Закавказские республики отпадают сразу — там он будет выделяться из толпы своим видом, в Среднюю Азию ему самому не хочется. Остаются Украина и Белоруссия. Лучше выбрать Белоруссию. Там дешевые цены на жилье, спокойные, доверчивые люди, среди которых легко затеряться в случае необходимости. Значит, нужно подумать, где именно купить новую квартиру и как достать новый паспорт. Он просто обязан иметь страховочный вариант.

Вениамин подошел к столу, достал свой блокнот, раскрыл его. Здесь намечены его очередные жертвы. Если кто-то даже найдет блокнот, то не сможет прочитать его записи. А если сможет, все равно ничего не докажет. Это всего лишь предполагаемый список женщин, с которыми он хочет встречаться. У любого мужчины, наверное, имеется подобный список. Тем более что он не женат и имеет право беспрепятственно встречаться с женщинами. В списке — пять имен: Ксения Попова из Челябинска, Татьяна Касимова из

Уфы, Лилия Сурсанова из Кургана, Ирина Торопова из Волгограда, Алена Кобец из Москвы. Рядом с последней большой вопросительный знак. Она — дочь высокопоставленного сотрудника прокуратуры, кажется, генерала. Может, не стоит рисковать? Хотя такой же вопрос стоит и рядом с фамилией Поповой. Он даже не поверил, когда узнал, что она — супруга вице-губернатора области. Самого вице-губернатора!

Они познакомились в Москве, куда он прилетел на несколько дней. Вениамин сразу обратил внимание на красивую молодую женщину, сидевшую в углу за столиком ресторана в отеле «Националь». Когда-то в молодости он прочел одну книгу, где подпольный миллионер, которых тогда называли «цеховиками», специально прилетал в Москву на несколько часов, чтобы выпить кофе, и платил приглянувшимся ему официанткам любые деньги, склоняя их к сожительству. Книга ему тогда очень понравилась. Может, поэтому он приехал в «Националь», выходивший окнами на Кремль, чтобы выпить здесь чашку кофе.

Незнакомка была одета в дорогой костюм.

Волосы аккуратно уложены. Она носила очки и делала вид, что читает газету на английском языке, именно делала вид, а не читала. Он не выдержал, подошел к ней и вежливо поздоровался на хорошем английском:

— Добрый день, мне показалось, что я встретил здесь свою соотечественницу.

Она отложила газету и невесело усмехнулась.

— Нет, вы ошиблись. Я не из Великобритании, если вы оттуда. Я из местных.

— Я тоже из местных, — тут же перешел он на русский язык. — Позвольте представиться — Вадим Тарасович.

— Ксения Гавриловна Попова, — кивнула она. — Вы живете в этом отеле?

— Нет, я приехал сюда выпить кофе. Вы разрешите составить вам компанию?

— Садитесь, если только вы не профессиональный охотник за одинокими женщинами.

— Какой я охотник, — пробормотал он, поправляя очки. — Всего лишь обычный ученый, скоро собираюсь защищать докторскую.

— Значит, мы в одинаковом статусе, — улыбнулась она.

Он поднял руку и попросил официанта принести еще две чашки кофе.

— Мне показалось, что у вас какие-то проблемы, — осторожно начал он. — Надеюсь, не с защитой докторской?

— Нет, — усмехнулась Ксения, — с этим как раз все нормально. У меня проблемы личного характера.

— Я могу вам чем-то помочь?

Она внимательно посмотрела на него.

— Другой в моем положении, наверное, — сказал бы «да». Но только не мне.

— Вы говорите загадками.

— Да нет, — устало ответила она, — нет никакой загадки. Просто недавно я узнала, что мой благоверный изменял мне со своим секретарем.

— Надеюсь, это была женщина? — улыбнулся Вениамин.

— Да, — кивнула Ксения. — Сама не понимаю, зачем я вам рассказываю. Наверное, просто ждала незнакомого человека, чтобы выговориться. Мне всегда казалось, что он женился на мне из-за моего отца, его связей, его друзей. И вот неожиданно выясняется, что я была права.

— Простите меня, — как можно мягче произнес Вениамин, — но нельзя быть такой категоричной. Сейчас большинство начальников ведет себя подобным образом. Они считают, что имеют право на своих секретарш. Поэтому я держу у себя в качестве секретаря шестидесятилетнюю женщину.

Ксения улыбнулась, достала из сумочки сигареты, щелкнула зажигалкой, закурила. Официант принес две чашки дымящегося кофе.

— Вы женаты? — спросила она.

— Разведен. — Вениамин давно обратил внимание, что подобный ответ вызывает еще больший интерес у любой женщины. И некоторое сочувствие. Когда мужчина, которому под сорок, сообщает, что он никогда не был женат, это вызывает ненужные вопросы и недоверие. В таком случае он либо неудачник, либо бабник, либо извращенец. И неизвестно, кем лучше быть. А вот разведенного начинают жалеть.

— Значит, вы примерно представляете мое положение, — сказала Ксения. — Дело даже не в измене. У них родился сын, и об этом знает весь наш город. Можете себе представить?

— А у вас нет детей?

— Есть. Но разве в этом дело? Он меня все время обманывал.

— Мужчины по природе своей не могут быть моногамными, — напомнил он.

— Эту теорию придумали мужчины, чтобы оправдать мужскую измену, — возразила она, потушив сигарету. Взяла свою чашку кофе, немного выпила.

— Вы живете в этом отеле и приехали сюда из другого города, — понял Вениамин.

— Да, и сегодня вечером возвращаюсь к себе домой. Я думала, если снова попаду в Москву, увижу старых друзей, знакомых, смогу как-то развеяться. Я ведь училась в Москве. Хотя время было тогда сумасшедшее, середина девяностых, но все равно веселое. А сейчас все кардинально изменилось. Все заняты, у всех свои проблемы, все озабочены финансовым кризисом. Спасибо вам за кофе. — И Ксения поднялась.

Он тоже встал и бережно проговорил:

— Все будет хорошо, вы только не отчаивайтесь. Может, у вашего мужа тоже финансовые проблемы, и он искал утешения у своего секретаря?

— Если бы так, — произнесла она на прощание. — Но он у нас не бизнесмен, а политик. Вице-губернатор. До свидания. Желаю вам всего наилучшего.

Ксения ушла, оставив его одного. Он подозвал официанта и уже через минуту знал, на какой номер она выписывала себе счет. Оставалось спуститься, дать деньги портье и узнать, что госпожа Ксения Попова прилетела из Челябинска. В регистрационной карточке был записан и ее городской телефон. Потом оказалось, что это номер телефона квартиры ее родителей. Он приехал в Челябинск через месяц и позвонил ей. Услышав, как она ему обрадовалась, он сразу понял, что она его потенциальная жертва. Понял и испугался. Неужели он посмеет что-то предпринять, прекрасно осознавая, кто ее муж? Неужели у него хватит смелости на подобный шаг? Почему-то должность мужа не только не смутила его, а, наоборот, раззадорила, словно он собирался бросить вызов неведомому сопернику.

ГЛАВА 7

Город Курган расположен на реке Тобол. Еще в середине шестнадцатого века на этом месте находилась укрепленная слобода Царево Городище. Более чем через двести лет, в тысяча семьсот восемьдесят втором году, слобода была переименована в город Курган. Может, потому, что сам город находился на левом, более возвышенном берегу Тобола, его стали называть именно так. Ведь у древних тюрков, когда-то населявших эти земли, слово «курган» означало насыпь над древней могилой. А возможно, здесь и были погребения, оставшиеся еще с незапамятных времен, над которыми затем вырос и городок Курган. Вплоть до двадцатого века здесь проживало лишь несколько тысяч человек, а перед Второй мировой войной число жителей насчитывало около пятидесяти тысяч. Уже через двадцать лет в городе стало втрое больше жителей, здесь открылись драматический театр, краеведческий музей, театр кукол, сразу три института — сельскохозяйственный, машиностроительный и педагогический. Но Курган особенно прославился благодаря своему земляку доктору Илизарову, когда здесь был открыт Научно-исследовательский институт экспериментальной и клинической ортопедии и травматологии.

К началу двадцать первого века это был уже крупный промышленный и железнодорожный центр, столица большой области, в которой проживало полмиллиона человек.

В истории криминальной России этот небольшой провинциальный, по меркам огромной страны, городок, нашумел еще и своей известной бандой, которая обосновалась в столице в начале девяностых годов, когда почти всю территорию Москвы контролировали местные подмосковные криминальные группировки, сумевшие договориться с кавказскими авторитетами. Прибывшие в Москву курганцы отличались особой жестокостью и неразборчивостью в средствах. На криминальном языке таких обычно называли беспредельщиками. Они начали охоту на руководителей других подмосковных группировок, отстреливая своих конкурентов и взрывая их машины. Именно тогда в ходе криминальных разборок погибли российский криминальный авторитет Сильвестр и еще несколько известных главарей подмосковных группировок. Наконец, самые авторитетные «воры в законе» собрались для обсуждения беспредела, творившегося в столице.

Курганские бандиты превратились в неуправляемое сообщество киллеров, мешавшее и правоохранительным органам, и бандитам. Закончилось все так, как и должно было закончиться. Почти все прибывшие гости были перебиты, а их руководители убиты в один день в своих камерах в «Матросской тишине». С тех пор прошло много лет, и в Кургане больше не появлялись последователи столь непредсказуемых типов. Урок был хорошо усвоен.

Утром, когда гости завтракали в гостинице, приехал полковник Шатилов. Он был одет в непривычную для себя форму, так как обычно ходил в штатском — сказывалась его работа в уголовном розыске. Шатилов сообщил, что сегодня вечером их примет руководитель областного УВД. Это сообщение не понравилось всем троим. Они прибыли сюда для работы, а не для торжественных встреч с генералом. Каждая подобная встреча с руководством областных управлений отнимала много сил и времени. Все руководители считали своим долгом не только лично принять группу экспертов из Москвы, но и организовать в честь приезда гостей банкет с обильными возлияниями и тостами.

Шатилов приехал на уже знакомом микроавтобусе, который было решено выделить в распоряжение гостей. Впереди сидели сержант-водитель и молодой старший лейтенант, прикрепленные к группе командированных. Вместе с Шатиловым они отправились в центр, где работала исчезнувшая Лилия Сурсанова. Лаборатория находилась на четвертом этаже, и трудилось здесь одиннадцать человек. Исполняющим обязанности заведующего, в отсутствие Сурсановой был назначен Василий Максимович Летников, пятидесятилетний мужчина с заплешинами на голове, потухшим усталым взглядом и сутулой фигурой меланхолика.

Всех четверых гостей он принял в своем небольшом кабинете, куда они прошли, с трудом уговорив директора не провожать их в лабораторию. Летников пожал всем руки и уселся на свое место, покорно ожидая вопросов. Его и назначили сюда именно потому, что он не претендовал на это место, не отличался особенной амбициозностью и при желании руководства мог всегда уступить место заведующего лабораторией нужному человеку. Рядом с его кабинетом все еще висела табличка, извещавшая посетителей о том, что заведующей лабораторией является Лилия Даниловна Сурсанова.

После того как полковник Шатилов представил Летникову каждого из гостей, наступила неприятная тишина. Летников ждал, когда ему начнут задавать вопросы, а прибывшие гости ждали, пока он сам начнет говорить. Молчание явно затягивалось. Наконец Шатилов решил первым его нарушить.

— Наши гости хотели бы знать ваше мнение о бывшем руководителе лаборатории, — начал он.

— Очень хорошее мнение, — заученно произнес Летников. — Она была весьма компетентным и грамотным сотрудником. К сожалению, мы потеряли очень перспективного ученого...

— Не нужно, — прервал его Резунов, — это все мы знаем и без вас. Она собиралась защищать докторскую?

— Да, материалы были почти собраны и готовы.

— По нашим сведениям, ей звонил какой-то Вадим Тарасович из Перми. Вы не знаете, кто это может быть?

— Нет, не знаю. Меня уже об этом спрашивали.

— Ваша лаборатория не сотрудничает с этим человеком?

— Мне не сказали его фамилию, но, насколько я могу судить, человек с таким именем никогда у нас не появлялся.

— А какие материалы могли так срочно понадобиться вашему бывшему шефу? — вмешался в разговор Дронго.

— Не знаю. Понятия не имею, хотя тему ее докторской мы утверждали на нашем ученом совете. Но я не думал, что ей понадобятся дополнительные материалы.

— Может, он проживает в Челябинске? — спросил Гуртуев.

— Не знаю, — пожав плечами, повторил Летников.

— У нее были враги в вашем научном центре? — Дронго посмотрел на Летникова так пристально, что тот даже съежился от испуга.

— Нет, — шепотом ответил и. о. заведующего, — и не могли быть. Мы все очень уважали и ценили Лилию Даниловну.

— Это потом, — достаточно бесцеремонно прервал его Дронго. — Значит, вы полагаете, что видимых причин для ее нервного срыва не было?

— Абсолютно никаких.

— Вы родились в Кургане? — неожиданно спросил Дронго.

— Что? — не понял растерявшийся Летников.

— Вы местный или приезжий?

— Конечно, из местных. Я здесь родился, сразу после войны. В сорок седьмом.

— Были еще похожие случаи, когда люди бесследно исчезали?

— Да, несколько случаев в пятидесятые, когда рыбаки тонули в реке или когда лед был достаточно хрупким.

— В тех случаях вы могли их быстро найти. А Сурсанова бесследно исчезла? Куда она могла подеваться? Куда ее могли спрятать? Мне хочется узнать именно ваше мнение, вы ведь из местных, знаете этот город достаточно неплохо.

— Только в реке, — немного подумав, ответил Летников, — и привязать к телу какой-нибудь груз, чтобы не всплывала. В этом случае мы ее долго не найдем.

— Еще где?

— Нужно осмотреть заброшенный склад и два цеха бывшего «Курганхиммаша», — предложил Летников. — Там можно найти все, что угодно. И живого человека, и мертвого.

— Вы искали на этом складе? — повернулся к Шатилову Дронго.

— Проверили склад с помощью кинологов и служебных собак, — доложил Шатилов, — ничего не нашли. Хотя склад, точнее, три склада, очень большие, по нескольку тысяч квадратных метров.

— А в цехах проверяли?

— Их теперь выкупили новые хозяева, и нас туда просто не пустили. Но оба цеха закрыты на реконструкцию уже достаточно давно. Они опечатаны...

— И поэтому там никого из ваших не было, — закончил за Шатилова Дронго. — Все понятно. Только для убийцы бумажка с печатью на дверях цеха не может быть запрещающим знаком. Он-то как раз и мог туда войти. Нужно осмотреть оба цеха и, если необходимо, получить для этого даже разрешение прокурора области.

— Они были закрыты, — терпеливо повторил Шатилов. — Убийца не мог там оказаться. Весь город знал, что оба цеха опечатаны и закрыты.

— Отправьте туда кинологов с собаками, —

предложил Дронго. — Пусть все тщательно проверят. Каждый метр, каждый сантиметр. Возможно, убийца сумел каким-то образом проникнуть в цех и убедил свою жертву следовать за ним. Или воспользовался ее бесчувственным состоянием.

— Проверим, — согласился Шатилов, — хотя я уверен, что это тухлый номер.

— С кем больше всего дружила Лилия Даниловны? — спросил Дронго, снова обращаясь к Летникову.

— Пожалуй, с Дариной Эдуардовной. Они примерно одного возраста, хотя Дарина старше на год или два. Обе молодыми вышли замуж. У Дарины две дочери, у Лилии Даниловной два сына. Они все время шутили, что в конце концов им придется породниться.

— Вы можете позвать ее сюда? — попросил Резунов.

— Сейчас позову, — с готовностью произнес Летников.

Через минуту в дверь кабинета постучали. Вошла довольно крупная молодая женщина с большим бюстом. Волосы у нее были выкрашены в красный цвет. Крупные черты лица, темные глаза. Она была одета в серое платье с большим черным бантом на поясе. Увидев столько мужчин в кабинете Летникова, Дарина невольно отступила на шаг назад, словно испугавшись присутствия такого количества незнакомцев.

— Входите, — подбодрил ее полковник Шатилов, которого она несколько раз видела в их лаборатории, — не беспокойтесь. Это гости из Москвы, они хотят с вами переговорить.

Дарина Эдуардовна вошла в кабинет, закрыла дверь и села на краешек стула. Ей было интересно, что именно хотят от нее московские гости.

— Мы приехали по факту исчезновения вашей подруги, — объяснил Дронго. — Как вам известно, ее тело нигде не нашли, и поэтому можно строить самые дикие, самые невероятные предположения, что же произошло на самом деле. Она могла уйти из дома, никому об этом не сказав? Как, по-вашему, она могла поступить?

— Не могла, — с каким-то внутренним ожесточением заявила Дарина Эдуардовна. — Она была очень хорошей женой и матерью. Никуда она не могла сбежать или уехать. И любовников у нее никогда не было. Я ведь числилась среди ее лучших подруг, поэтому могу вам сразу сказать, что с ней произошел несчастный случай либо ее убили.

— А куда делось тело, если это несчастный случай? — поинтересовался Резунов.

— Вам лучше знать, — отрезала Дарина Эдуардовна, — куда обычно прячут людей в таких случаях.

— Мы не местные, — напомнил Резунов.

— Это у нас каждый мальчонка знает. Либо груз на шею и в реку, либо отправят на бесплатное городское кладбище для бездомных. Много их развелось в городе за последние пятнадцать-двадцать лет.

— Мы спрашиваем вас не про это, — напомнил Шатилов. — Как вы считаете, где нам лучше искать, кроме этих двух цехов?

— Не знаю, — честно призналась Дарина Эдуардовна, — сама думаю уже сколько месяцев. Куда она могла пропасть, с кем уйти, зачем? Ничего не понимаю.

— Она часто ездила на работу рейсовым автобусом? — уточнил Дронго.

— Почти никогда, — ответила женщина. — Обычно она пользовалась своей машиной.

— В тот вечер она уехала на рейсовом автобусе, — напомнил Дронго. — Вам не показалось несколько странным такое поведение?

— Показалось. Но она была в таком прекрасном настроении — мы все обратили на это внимание.

— В прекрасном? — переспросил Дронго.

— Да. В тот день она была очень веселой.

— Понятно. Вы не поинтересовались, почему?

— Нет. Разве об этом спрашивают? Обычно интересуются, когда у человека плохое настроение.

— У нее были при себе деньги?

— Наверное, да. Как у всех. Но немного.

— Она носила ценные украшения?

— У нее были достаточно дорогие сережки. Кажется, подарок брата, он живет в Латвии. И еще обручальное кольцо. Больше ничего. В основном она предпочитала бижутерию. И даже советовала нашим девушкам не выглядеть как нарядные елки, не надевать на себя без разбора всякие ювелирные вещички.

— Ну и как? Прислушивались к советам? — улыбнулся Дронго.

— Не всегда, — немного подумав, призналась Дарина Эдуардовна.

Эксперты переглянулись. Стало ясно, что и этот свидетель им ничем не поможет.

— Спасибо, — кивнул Шатилов, — вы можете идти.

Дарина Эдуардовна поднялась и, попрощавшись со всеми, пошла к выходу. У двери она неожиданно обернулась:

— Найдите ее обязательно. Пусть хоть у детей могилка будет, куда можно приходить. Что же это такое происходит? Разве так можно? Живого человека уже сколько месяцев найти не можете.

— Мы ищем, — попытался успокоить ее Шатилов. — Делаем все, что в наших силах.

— Значит, не все, — сказала она. — Столько месяцев ребятишки без матери, муж с ума сходит. Хотя бы сказали, что с ней случилось, жива она или нет. А то ведь от этой безнадеги с ума можно сойти. Неужели вы не понимаете?

— Дарина Эдуардовна, это товарищи из Москвы, — осторожно вставил Летников.

— Тем более. Пусть слышат. Здесь не Москва, город у нас небольшой. Нужно все просмотреть, все проверить, но найти ее. По городу слухи ходят нехорошие. Родители своих дочерей боятся на улицу отпускать. Эх вы, сыщики!

Она резко повернулась и вышла из кабинета.

— Извините ее, — торопливо проговорил Летников, — она была ее лучшей подругой.

— Дарина Эдуардовна права, — мрачно ответил Резунов, — мы должны найти ее подругу. И не допускать, чтобы подобные происшествия случались.

— Сделаем так, — предложил Дронго. — Я срочно вернусь в Челябинск и снова попытаюсь переговорить с вице-губернатором. Возможно, мне удастся убедить его отдать дневник своей погибшей супруги, если, конечно, он его еще не уничтожил.

— Каким образом вы собираетесь убедить

его? — удивился Резунов. — Насколько я понял, он категорически отказался даже беседовать на эту тему.

— У меня есть свои методы убеждения, — усмехнулся Дронго. — Я уверен, что он не сможет мне отказать, если я сделаю так, как задумал.

— Не знаю, что именно вы придумали, но хочу вам сообщить, что ваш запрос уже вчера был отправлен из Москвы в другие республики, — напомнил Резунов.

— Проверьте оба цеха, — сказал на прощание Дронго, — и еще раз прочешите реку, пока она не замерзла. Может, действительно стоит вызвать водолазов? Никакие деньги не смогут заменить даже одной спасенной души, даже одного человека.

— Мы все проверим еще раз, — заверил его Шатилов, — хотя убежден, что все это бесполезно. Оба цеха были опечатаны и закрыты на ремонт после перепродажи. Не думаю, что ваш убийца мог попасть внутрь и тем более убедить такую женщину, как Лилия Даниловна, пройти с ним туда.

— У него, видимо, тоже есть свои «методы

убеждения», — заметил Гуртуев. — Я тоже считаю, что нужно все проверить по второму кругу.

— Значит, договорились. Я срочно выезжаю в Челябинск, а вы ждите результатов проверки, — добавил напоследок Дронго.

— Вы нарочно придумали себе командировку, чтобы избежать сегодняшнего банкета, — погрозил ему пальцем Казбек Измайлович.

— И поэтому тоже, — согласился Дронго. — Если все будет нормально, я уже завтра вечером снова буду в Кургане. Меня могут подбросить к вокзалу? — обратился он к полковнику Шатилову.

— Сейчас вызову машину, — ответил тот.

Через два часа Дронго уже сидел в купе поезда, направлявшегося в Челябинск. У него был разработан план, как заставить вице-губернатора отдать дневник. Если все пройдет как задумано, они получат бесценную информацию по поискам этого страшного типа и сумеют наконец его вычислить. Но почему он назвал себя именно Вадимом Тарасовичем? Если верить теории профессора Гуртуева, за каждым именем стоит некий образ, некий символ. Каким символом для убийцы является имя Вадим? Или это простое совпадение?

Он даже не мог предположить, насколько его догадки окажутся правильными и как неожиданно закончится этот день в Челябинске и Кургане.

ГЛАВА 8

После убийства в Санкт-Петербурге прошло несколько месяцев. И он снова чувствовал это нарастающее возбуждение, снова видел цветные сны, в которых очередная жертва билась в его крепких объятиях, снова хотел испытать чувство удовлетворения и силы. На этот раз он выбирал между жертвами в Кургане и Уфе и решил остановиться на руководителе лаборатории в Кургане. Он обратил внимание на эту хрупкую женщину, когда приехал в город с конкретной целью — поиска очередной жертвы. У нее спустило колесо, и он помог женщине, попутно познакомившись с ней и уже по привычке представившись Вадимом Тарасовичем. Это была его своеобразная месть соседу Вадиму, который осмелился склонить к сожительству его Катю, сломав их будущую семейную жизнь.

В день убийства Вениамин позвонил из Челябинска, куда приезжал в очередной раз, чтобы подготовить свою встречу с супругой вице-губернатора. И отправился в Курган. Приманку он нашел в виде материалов по экологии области, которые нужны были Сурсановой для ее научной работы. Она была очарована экологом Вадимом Тарасовичем, так любезно предложившим ей свою помощь. В этот день женщина была без машины. Он знал, что ее автомобиль стоит на ремонте, и назначил встречу недалеко от автобусной остановки. Она терпеливо ждала, пока он появится.

Дальше все должно было развиваться по привычной схеме. Он нашел заброшенный цех, который был опечатан и где не могло быть посторонних свидетелей, подобрал ключи к дверям, сделав свой дубликат. Но неожиданно произошла неприятность. Когда он достал повязку с хлороформом и попытался ее усыпить, она, словно поняв, что именно он собирается делать, резко рванула в сторону. А может, почувствовала запах хлороформа. Анализируя позже свои действия, он понял, что невольно выдал себя своим невежеством в вопросах экологии, и она была настороже. Лилия побежала и даже успела крикнуть. Тогда он бросился к ней и ударил тяжелым кастетом, который был у него в кармане, по голове. Только после этого сумел оттащить ее в заброшенный цех. Но удовольствие было испорчено. Она долго не приходила в себя, а когда наконец сознание к ней вернулось, с такой ненавистью и презрением смотрела на него, что он отводил глаза, чтобы не видеть этого горящего взгляда. Она не плакала, не вырывалась, не просила о пощаде. Просто дважды плюнула ему в лицо, чем привела его в бешенство. Это было бешенство другого рода. Бешенство бессилия и слабости. Он почувствовал, что ничего не может сделать, и это разозлило его еще больше.

Тогда он начал душить женщину, надеясь обрести прежнее возбуждение. Она хрипела и молчала. Он с досады прекратил ее душить, решив, что нанес ей слишком сильный удар и теперь она опять без сознания. Пришлось сидеть около нее еще лишний час, приходя в себя после неудачной попытки. Понимая, что он загубил эту встречу, Вениамин достал из кармана «виагру» и принял сразу две таблетки. Тут она очнулась и начала проклинать его, предрекая ему ужасные муки в этой жизни и в аду, куда он наверняка попадет. Пришлось закрыть ей рот, чтобы не слышать этих проклятий. Самое обидное, что она кричала еще и о его физической несостоятельности. «Свидание» было безнадежно испорчено. От «виагры» разболелась голова. Он еще дважды повторял попытку, но безнадежно. Он видел, с каким презрением она смотрит на него, и в ярости задушил ее, оставив прямо на полу заброшенного цеха.

Вениамин возвращался домой в ужасном настроении. Впервые, когда женщина была в его полной власти, у него ничего не получилось. Он со страхом подумал, что подобное может повториться. Тогда ему не нужны ни эти встречи, ни эти хитроумные планы, ни его новые знакомства. Неужели он полностью выдохся к своим сорока годам и теперь совсем ни на что не годен?

Он поехал в Москву и нашел лучшую клинику, лечившую мужское бесплодие. Ему выписали целый список необходимых лекарств, которые он исправно применял. Через месяц Вениамин пригласил к себе женщину, которой заплатил пять тысяч рублей. Она старалась изо всех сил, но ничего не получилось. Тогда он просто выбросил все лекарства и снова начал планировать очередное нападение. На этот раз в Уфе, где он успел познакомиться с заместителем директора библиотеки, очаровав ее своим английским и знанием мировой литературы.

Все шло по его плану. Они встретились у заброшенного здания рядом со школой, откуда каждый день шла с работы Татьяна Касимова, хрупкая блондинка, сразу понравившаяся ему. На этот раз он решил подстраховаться и не звонил на ее мобильный телефон. Он позвонил ей в библиотеку по городскому номеру, который узнал заранее.

Интересный и остроумный собеседник вызывал у Татьяны живой интерес. Он сообщил, что будет ждать ее у школы. Вениамин знал, что назначаемые свидания в людных местах вызывают доверие у любой женщины. Тем более у школы, мимо которой она проходила каждый день и где всегда было много учеников и родителей. Правда, ближе к вечеру их становилось гораздо меньше, а у заброшенного здания, предназначенного к сносу, вообще никого не было. И двери были забиты, чтобы ученики туда не лазили. Он заранее прошел в дом, найдя подходящее место, чтобы поднять свою жертву, отчетливо понимая, что, в отличие от убийства в Астане, не сможет уговорить очередную жертву подняться в этот дом. Поэтому придется рискнуть и напасть на нее ближе к дому, чтобы их не могли увидеть случайные прохожие со стороны школы.

На всякий случай он проследил, как она вышла из библиотеки, направляясь к школе и проходя дальше, к старому дому, уже предназначенному под снос. Именно в этот момент догнал ее, негромко окликнув. Она почему-то вздрогнула, словно думала о чем-то своем, затем повернулась и, узнав его, широко улыбнулась. Дальше он действовал как заправский мясник, уже привыкший к своим точным и выверенным ударам по жертвам. Быстро подошел к ней, доставая заранее приготовленную повязку в виде маски, усыпил ее, подхватив обмякшее тело, внес в здание и поднялся по крутой лестнице на просторный чердак, благо жертва была совсем хрупкой.

На этот раз он даже не стал ее связывать, настолько был уверен в своей силе. Когда он раздел ее и разделся сам, она открыла глаза. Дальше было интереснее всего, так как она даже не пыталась кричать. Татьяна впала в какой-то непонятный ступор, расширенными от ужаса глазами наблюдая за его действиями. Ему пришлось даже встряхнуть ее несколько раз. Когда он начал ее душить, она задергалась, захрипела. Он снова почувствовал себя сильным — жертва опять была в его власти. Испытывая чувство умиротворения, Вениамин ушел из этого здания вполне счастливым. Теперь он точно знал, что никакие таблетки и стимулирующие средства не помогают ему так, как живая плоть, бьющаяся от страха в его руках, как пульсирующая артерия на горле, которое он сжимал изо всех сил.

Теперь он был готов действовать и в Челябинске, рискуя бросить вызов самому вице-губернатору. Когда Вениамин впервые приехал в город и позвонил Ксении Гавриловне, она даже не сразу поняла, кто это такой. А затем, вспомнив московский отель, очень обрадовалась. Они встретились у кафе, рядом с домом ее родителей. Он был безупречно вежлив, элегантен, мило шутил, много говорил и на прощание подарил красную розу.

Надо понимать состояние молодой женщины, которая вышла замуж за постылого человека, никогда не ценившего и не любившего ее. Самое обидное, что она знала это с первого дня их знакомства. Его интересовала только карьера, только связи ее отца, их дружба с губернатором области. Когда скандал, связанный с его изменой, стал достоянием общественности и весь город сплетничал об этом, Попов приехал просить прощения у родителей Ксении, объясняя, что искал утешения в объятиях чужой женщины, так как его собственная супруга слишком часто отказывала ему в подобной близости. Это была ложь, но Ксения не хотела обсуждать семейные проблемы со своими родителями. Мать уговорила ее вернуться домой, хотя бы ради их общего ребенка. Ксения огласилась, но теперь не пускала своего мужа в их общую спальню.

В новом знакомом она видела не альтернативу своему супругу, для этого Ксения была слишком порядочной и хорошо воспитанной молодой женщиной, чтобы отвечать неверному мужу ответной изменой.

Ей были нужны либо подлинные чувства, либо страсть, когда забываешь обо всем на свете. Встречаться с другим мужчиной только для того, чтобы насолить своему мужу, — удел развращенных и слабых натур. Женщина — слишком цельное существо, чтобы размениваться на подобные мелочи. Если она внутренне готова найти другого партнера, она его все равно найдет — и с благополучным мужем, и с ловеласом, не пропускающим ни одной юбки. В противном случае, даже чувствуя себя униженной и оскорбленной, она никогда не изменит своему мужу, предпочитая остаться в одиночестве.

Ксении было приятно сознавать, что она еще может нравиться такому очаровательному человеку, как Вадим Тарасович, но ничего серьезного между ними не могло быть. Он приехал еще раз через месяц и снова позвонил, пояснив, что находится в городе проездом и они не смогут увидеться. Это было немного обидно, и она почувствовала укол уязвленного самолюбия. Значит, в город он приезжал не ради нее, а ради своих конкретных дел, и звонил ей просто лишь из вежливости, как старой знакомой.

Об этих событиях и обо всем, что случилось в «Национале», она написала в своем дневнике, который позже попал в руки ее супруга. Он читал посвященные себе строки с ужасом и волнением, понимая, что подобный дневник не должен попасть в чужие руки. Дронго был прав, Попов его не уничтожил — слишком мелким и ничтожным человеком он был для этого. Он спрятал дневник в своем сейфе, лишь иногда позволяя себе доставать эту тетрадь и читать горькие строки, посвященные их семейной жизни. В своей последней записи Ксения отмечала, что чувствует волнение и не понимает, нравится ли она на самом деле Вадиму Тарасовичу или это всего лишь вежливая форма общения.

В день убийства Вениамин позвонил ее родителям. Отец подозвал Ксению к телефону, даже не подозревая, что невольно становится соучастником убийства собственной дочери. Она услышала знакомый голос. Вадим Тарасович сообщил, что привез ей оригинальный сувенир из Швеции, куда ездил в командировку, и просит ее подойти к соседнему дому, когда она вернется домой. Ксения даже не удивилась. Наверное, он прав, подумала она, ведь он не может вручить подарок во дворе ее дома, под взглядами десятков соседей, охранников и водителей.

Она приехала домой на служебной машине мужа, отпустила его и прошла пятьдесят метров к соседнему зданию. Вадим Тарасович уже стоял там, весело улыбаясь. Она ускорила шаг. Когда он поравнялся с ней и поднял руку, она почувствовала, как неприятный запах ударил ей в нос, и успела подумать о том, что ей не нужно было приходить в этот соседний двор. Затем потеряла сознание.

Он втащил ее в подвал, закрыл за собой дверь, расстелил чистую простыню. Теперь эта гордая, сильная, самоуверенная женщина была в полной его власти. От удовольствия он даже тихо заскулил. Раздевать ее оказалось настоящим наслаждением: она носила дорогое белье — сказывался статус ее супруга и отца — и была в нем безумно хороша. Вениамин даже не стал ее связывать, иначе эта картинка могла оказаться скомканной. Он разделся сам и улегся рядом с ней. Протянул руку и погладил ее по плечу. Она все еще не открывала своих светло-зеленых прекрасных глаз. Было приятно трогать ее прохладное тело, ее небольшую грудь.

Так все просто, подумал он. Даже если ты супруга вице-губернатора или самого губернатора. Достаточно немного внимания, немного забавных шуток, несколько заумных фраз, чтобы произвести должное впечатление — и женщина с таким социальным статусом оказывается в твоей полной власти. Он дотронулся до ее плеча. Разве могла она подумать еще сегодня утром, что окажется в этом подвале, на полу рядом с чужим для нее человеком? Он усмехнулся. Как это у Булгакова? Страшно даже не то, что человек смертен. Страшно то, что он внезапно смертен, и никто не знает, что будет с ним через минуту или сегодня вечером. Кажется, похоже. Он снова посмотрел на нее — без очков она казалась еще моложе, — достал пузырек с нашатырным спиртом, поднес его к лицу. Ксения чихнула, пошевелила рукой и открыла глаза.

Он лежал рядом. Голый. Она чуть приподняла голову, убедилась, что лежит раздетая, и спокойно опустила ее. Он даже удивился. Неужели она была готова к подобному варианту?

— Вы мне снитесь? — нерешительно спросила Ксения.

Он использовал слишком много хлороформа, подумал Вениамин, поэтому она сейчас словно в прострации.

— Да, — ответил он, — мы оба во сне.

138

— Я не узнаю этого места, — улыбнулась она, — и вас тоже не узнаю.

— Мы познакомились в Москве в прошлом году, — негромко произнес он.

— Это я помню, — ответила Ксения, снова закрывая глаза. — Только не понимаю, почему так себя чувствую. Кружится голова.

У праведников есть право на легкую смерть, думал Вениамин, она даже не испугалась. Неужели снова ничего не получится? Он дотронулся до ее тела. Она улыбнулась, словно ей было приятно это прикосновение. Тогда он наконец решился и торопливо переместился прямо на нее. Ксения снова открыла глаза — на этот раз они были более осмысленные.

— Вы меня напоили? — спросила она, чувствуя тяжесть его тела.

Он всегда тщательно чистил зубы и проверял свое дыхание. Почему-то даже в такие моменты ему хотелось быть лучше и чище, чем на самом деле. Или это тоже своеобразное проявление его комплексов? Ему хотелось нравиться даже тем, кого он избирал в качестве своих потенциальных жертв.

— Да, — ответил он, чувствуя, что начинает нервничать.

Если она будет и дальше так спокойно реагировать, у него ничего не получится. И это будет обиднее всего. Он так мечтал об этой встрече, так долго и тщательно ее готовил. Она должна испугаться, должна кричать от боли и ужаса, должна вырываться! Только тогда он получит удовольствие по полной программе.

— Зачем вы меня раздели? — как-то равнодушно спросила Ксения.

— Вы мне нравитесь, — сказал он первое, что пришло ему в голову.

— Спасибо, — она снова закрыла глаза, — но это не повод для того, чтобы меня раздевать.

— Повод, — убежденно проговорил он. — Очень важный повод, чтобы оказаться рядом с вами в этом подвале.

Она снова открыла глаза, в которых впервые мелькнул испуг. Кажется, она начинала понимать, что происходит.

— В подвале? — переспросила Ксения. —

Мы с вами в подвале? Что вы делаете? Кто вам разрешил? Как я сюда попала?!

Она дернулась, чувствуя на себе его тяжесть, и попыталась его оттолкнуть. Но было уже поздно. Ее дыхание, ее нарастающий испуг, свежесть ее прохладного тела уже возбудили его, и он сильно сжал ей грудь. Она застонала, снова дернулась и гневно произнесла:

— Отпустите меня! Что вы себе позволяете? Кто вы такой? — В ней наконец проснулась супруга вице-губернатора.

Но это были последние слова, которые она успела произнести. Вениамин понял, что она окончательно пришла в себя и в следующее мгновение начнет кричать, зажал ей рот левой рукой, привычно смыкая пальцы правой на ее горле. Дальше — его судорожные движения и ее безуспешные попытки хоть как-то помешать ему, вырваться, освободиться...

Через несколько минут все было кончено. Он поднялся, тяжело дыша, и уселся рядом с ней. Мимо пробежал таракан. Вениамин брезгливо отдернул ногу и почему-то подумал:

«Нельзя ее здесь оставлять, рядом с этим тараканом. Она наверняка испугается, увидев его, и ей будет неприятно здесь оставаться. Противно. Женщины обычно боятся тараканов и крыс». Стоп! О чем он думает? Как ей может быть неприятно? Она ведь уже ничего не чувствует. Вениамин нахмурился, словно кто-то другой убил несчастную женщину, а он только сейчас понял, что ее нельзя оставлять в этом подвале.

Он поднялся, медленно оделся. Стараясь не смотреть в сторону тела. Она была очень красивой женщиной и при жизни, и после смерти. Где-то глубоко в его подсознании, куда не проникали скотское вожделение и дикая похоть, росло ощущение вины, растерянности, презрения к самому себе. Но чувство удовлетворения, испытанное им в процессе насилия, чувство власти и силы оказались сильнее. Он сложил свои вещи в портфель и перевернул тело, выдергивая из-под него простыню. Первый раз в жизни ему не хотелось вытаскивать простыню. Было стыдно оставлять ее в таком виде на полу, словно не он был насильником и убийцей. Не обязательно, чтобы все остальные глазели на эту женщину; в конце концов, ее социальный статус не позволяет ей стать легкой добычей случайно оказавшегося здесь бомжа или алкоголика.

Немного подумав, он принес одежду и прикрыл ею наготу женщины. Затем вышел из подвала, осторожно огляделся, закрыл дверь и быстрым шагом направился к вокзалу. Ключи от подвала он выбросил по дороге, простыню потом сожжет, как и легкие целлофановые перчатки, которые надевал во время своих нападений.

Об убийстве супруги вице-губернатора написали все местные газеты. Сообщение появилось даже в двух центральных газетах. О возможном появлении нового Чикатило начали спорить эксперты и криминалисты. Он читал эти заметки, не понимая, о каком Чикатило идет спор. Тот был зверь и садист; не просто насиловал и убивал свои несчастные жертвы, а рвал их на куски и вырезал внутренности, орудуя ножом. Разве можно его сравнивать с этим чудовищем?! Он всего лишь встречается с женщинами, некоторых из них неосторожно душит в процессе общения. И вообще, у него было всего два подобных случая. Или три? Или четыре? Или уже больше? Он вспомнил все свои нападения: Харьков, Астана, Павловск, Курган, Уфа, Челябинск. Шесть. Получается, шесть убийств. Неужели так много? Значит, он действительно превращается в нового маньяка, в нового Чикатило!

Приехав домой, Вениамин разделся и долго смотрел на себя в зеркало. Он хорошо помнил внешность самого страшного маньяка страны. У Чикатило был покатый череп, звериные глаза, неприятный острый подбородок. Нет, он не похож на него. Разве можно его сравнивать с тем убийцей? А сам ты кто? Такой же насильник и убийца! Он вспомнил, как плевалась Лилия, как испуганно охала Мирра Богуславская — кажется, она пыталась его уговорить не убивать ее; как посмотрела на него в последний раз Ксения Попова. Эти женщины его ненавидели. Презирали и ненавидели. Будь их воля, они никогда бы с ним не встречались. Они и сделали его таким ущербным и несчастным. Сначала его заразила Тина, к которой он отправился совсем малолеткой, затем ему изменила Катя, предпочтя более задорного и сильного соседа, потом отказала Рита. Это они сделали его таким, превратили его в инвалида, несчастного убийцу, который получает удовольствие столь неестественным и ущербным образом. Значит, он правильно поступает, расправляясь с каждой из них. Он ненавидит всех женщин, всех, которые встречаются на его пути. Они хотели, чтобы он стал таким, толкали его на этот путь. И получили то, что хотели.

Вениамин отошел от зеркала, подошел к столу и взял блокнот. Вычеркнутые имена означали погибших женщин. В его списке оставались еще две кандидатуры. И теперь сюда можно вписать Катю. Прошло слишком много времени с тех пор, как они расстались. Никто не заподозрит его в том, что он нашел и убил свою бывшую любовницу, которая жила с ним несколько лет и изменяла ему с соседом. Кажется, у Вадима была симпатичная жена, с ненавистью вспомнил Вениамин. Нужно узнать, куда они уехали. Месть будет полной, если удастся и ее записать в свой список. А потом просто прибить этого типа. Когда ищут сексуального маньяка, помешанного на женщинах, никто даже не подумает о том, что убийцей мужчины может быть именно этот человек. Нужно найти Вадима и его жену; в конце концов, во многом благодаря Вадиму он превратился в чудовище.

ГЛАВА 9

Дронго прибыл в Челябинск в пятом часу вечера. На этот раз на вокзале не было никого из встречающих, что его вполне устраивало. Он вышел с вокзала, поймал такси и отправился в уже знакомую больницу. Основанный еще в середине восемнадцатого века на месте башкирской крепости Челяби, почти до конца девятнадцатого века город насчитывал лишь несколько тысяч жителей. Только когда в девяностые годы девятнадцатого века началось сооружение Великой Сибирской магистрали, здесь стали появляться новые поселенцы. Буквально за несколько лет количество жителей увеличилось и насчитывало уже более двадцати тысяч человек. В советское время город превратился в крупнейший промышленный центр страны с более чем миллионным населением.

В больницу Дронго приехал уже в половине шестого. Заплатив таксисту триста рублей, он пообещал дать еще столько же, если водитель подождет его у здания больницы. Для Челябинска это были достаточно неплохие деньги, и водитель согласно кивнул, припарковав машину на стоянке у здания больницы. Главного врача на месте не было, и Дронго сразу прошел в палату, где находился Гаврила Аркадьевич Далевский, отец погибшей жены вице-губернатора. Далевский лежал один в реанимационной палате. Его супруга работала заведующей отделением в этой больнице, и все знали, что он был близким другом самого губернатора. Последние трагические события очень тяжело отразились на Далевском, и он попал в больницу с гипертоническим кризом.

Зайдя в палату, Дронго обнаружил, что рядом никого нет. Здесь обычно дежурила санитарка, но к шести часам она уходила, и ее сменяла другая. Эксперт осторожно подошел к кровати. Далевский спал. Копна седых волос, знакомое крупное лицо. Услышав шорох, пациент открыл глаза и сразу узнал гостя.

— Ах, это вы, — с явным разочарованием произнес он. — Что вам опять нужно? Я думал, что мы закончили наш разговор несколько дней назад.

— С тех пор произошли некоторые события. — Дронго подошел ближе и устроился на стуле рядом с больным.

— Вы не хотите оставить меня в покое! — Далевский не жаловался, просто констатировал факт.

— Мне очень жаль, что приходится поступать таким бесцеремонным образом, — проговорил Дронго, — но у меня просто нет другого выхода.

— Что вы еще хотите? Я сказал вам все, что знал.

— Не сомневаюсь. Но, поверьте, только крайняя необходимость могла заставить меня снова потревожить вас.

— Говорите, — потребовал Далевский. — Что вам нужно?

— У вашего зятя должен быть дневник вашей дочери. Мне он крайне важен для успешного завершения расследования.

— Завершения расследования, — глухим голосом повторил Далевский. — Вы так уверенно говорите, словно уже нашли его.

— Я эксперт по вопросам преступности, и это моя работа, — напомнил Дронго. — Я вернулся сюда, чтобы убедить вас помочь нам в расследовании.

— Каким образом?

— Дневник. Мне нужен дневник вашей дочери. Я убежден, что он находится у вашего зятя и тот его до сих пор не уничтожил.

— Его можно понять, — тихо произнес Далевский. — Он не хочет, чтобы оскверняли ее душу так же, как осквернили тело. Разве вы этого не понимаете?

— Мне нужен дневник не для того, чтобы рассказывать о нем каждому встречному или узнавать интимные подробности ее жизни. Я должен найти преступника, — терпеливо повторил Дронго.

— Ничем не могу помочь. Он может меня не послушать.

— Послушает. Я хочу сообщить вам, что,

по нашим сведениям, которые мы уточнили за последние несколько дней, он убил уже как минимум четверых, а возможно, и больше. Вы понимаете, что это значит? Четыре семьи остались без своего близкого, любимого человека. Четырем семьям он причинил боль. И если мы его не остановим, он будет убивать по-прежнему.

Далевский отвернулся. Было заметно, как ему тяжело.

— Неужели вы думаете, что я не понимаю вашего состояния? Неужели не видите, как мне не хотелось сюда приходить? — продолжал Дронго. — Но вы мой последний шанс. Я должен получить этот дневник любым способом, даже если мне придется взломать дверь в квартиру вице-губернатора.

Далевский повернулся и пристально посмотрел на него.

— Я его найду, — сказал Дронго. — И обещаю вам, что никто и никогда не узнает, что было в ее дневнике. Даю вам слово.

— Я подумаю, — нахмурился Далевский.

— У меня нет времени, — безжалостно сообщил Дронго. — Вам нужно принять решение прямо сейчас.

— Он может меня не послушать, — повторил Далевский.

— У меня есть кое-какие предложения по этому поводу, — сказал Дронго и поделился с Далевским своим планом.

Тот приподнялся, взглянул на своего необычного гостя и с горечью произнес:

— Вы либо сумасшедший фанатик, либо циник, каких свет не видывал.

— И то, и другое, — ответил Дронго, — всего понемногу. Нельзя столько лет заниматься расследованиями самых отвратительных преступлений и оставаться безучастным человеком.

— Похоже, что вам еще сложнее, чем всем остальным, — заметил Далевский.

— Возможно. Но я не жалуюсь. Ну как, вы поможете мне?

— Никто, кроме вас, не увидит этого дневника, — напомнил Далевский. — Даете слово?

— Конечно.

— Хорошо. Можете идти. Я сделаю так, как вы просите.

— Спасибо. Я был уверен, что вы меня поймете. Не буду в очередной раз говорить вам слова утешения, в таких случаях они просто бесполезны. Но даю слово, что сделаю все для того, чтобы найти этого маньяка и нейтрализовать его. До свидания.

Дронго вышел из палаты и направился к выходу. На улице его ждала машина. Он попросил водителя отвезти его к зданию областной администрации и уже через пятнадцать минут был на месте. Дежурный офицер потребовал пропуск, и Дронго попросил соединить его с вице-губернатором Поповым. На часах было около шести, и он надеялся, что Попов еще не ушел с работы.

Вице-губернатор действительно был на месте. Узнав, кто к нему приехал, он недовольно ответил, что занят и сегодня уже не принимает посетителей. Дронго взял трубку у дежурного офицера.

— Я приехал из больницы от Гаврилы Аркадьевича, — умышленно громко произнес он. — Мне нужно срочно с вами встретиться.

Попов понял, что все-таки придется принять этого назойливого посетителя, иначе дежурный сообщит остальным сотрудникам охраны, что вице-губернатор не принял человека, приехавшего от его тестя, и приказал пропустить эксперта в свой кабинет. Дронго поднялся на третий этаж. В приемной его уже ждала миловидная секретарша лет двадцати пяти. Она проводила гостя в кабинет Попова.

Достаточно скромный кабинет, типовая офисная мебель. Сидевший в кресле Попов выглядел случайно зашедшим сюда миллионером. Он был вызывающе дорого одет, на левом запястье сверкал золотой «Ролекс». Недовольно взглянув на гостя, не поднимаясь с кресла и даже не протягивая руки, Попов показал на один из стульев, стоявших у приставного столика.

— Садитесь, — предложил он. — Вы слишком настойчивы для обычного эксперта. Я предполагал, что вы давно улетели в Москву. Или успели уже вернуться? От вас гораздо больше неприятностей, чем пользы. Что вам еще нужно? Зачем побеспокоили несчастного Гаврилу Аркадьевича? Нужно будет позвонить в больницу, чтобы вас туда больше не пускали. Не тревожьте несчастного старика.

Дронго молча выслушал монолог вице-губернатора. А когда Попов закончил, выждал несколько секунд и затем начал говорить:

— В Москве нам сообщили, что есть подозрения еще на два похожих случая. В первом удалось найти тело женщины, во втором — жертва бесследно исчезла. Таким образом, возможно, число его преступлений выросло до четырех. А это значит, что он уже достаточно давно превратился в серийного убийцу и, может быть, именно сейчас готовит свое следующее преступление.

— Зачем мне эти страсти? — недовольным голосом проговорил Попов. — Это ваше дело — копаться в такой грязи. Мне неинтересны подробности. И этот убийца меня тоже не интересует. Если сумеете его найти и арестовать, значит, я буду считать, что вы сделали свое дело достаточно профессионально. А если нет, значит, вы недостаточно профессиональны. Но в любом случае я не хочу знать эти дикие подробности. Или у вас принято сообщать подобные ужасы всем родственникам погибших?

— У нас принято, чтобы родственники жертв помогали следствию и делали все, чтобы мы нашли убийцу их близкого человека.

— А я разве отказываюсь? — удивился Попов. — Вам дали лучших наших офицеров, всю группу Мякишева, даже разрешили устроить этот балаган в институте, где она работала, когда вы захотели всех допросить. Вера Романовна, супруга нашего первого вице-губернатора, тоже там работает. И она рассказала мужу, как бесцеремонно и нагло вы себя вели. И еще смеете после этого приезжать ко мне и требовать помощи?

— Давайте прекратим ненужный спор, — предложил Дронго. — Я приехал за дневником вашей супруги.

В глазах Попова мелькнула ненависть.

— Я вам уже говорил, — процедил он сквозь зубы, — что никакого дневника нет и никогда не было.

— Вера Романовна рассказала мне об этом дневнике, — не отступал Дронго.

— Значит, я его уничтожил. Этого дневника больше нет, — повысил голос Попов. — Нет, и никогда не было. И вообще, довольно говорить об этом. У вас ко мне больше никаких дел?

— Дневник, — упрямо повторил Дронго. — Он лежит у вас дома. Я собираюсь получить санкцию прокурора и обыскать вашу квартиру. Областной прокурор как раз в данный момент выписывает санкцию на обыск...

— В моей квартире? — переспросил, криво усмехнувшись, Попов. — Он не посмеет. Я его знаю. Он никогда не даст санкцию на обыск в квартире вице-губернатора.

— Я приехал из больницы от вашего тестя, — напомнил Дронго, — прокурору позвонил сам Далевский и попросил выдать этот ордер на обыск, ведь речь идет о дневнике его дочери. — Он отчаянно блефовал, но у него просто не было другого выхода.

— Я сейчас позвоню прокурору, — решительно заявил Попов.

— Лучше сразу губернатору. — Дронго было важно выиграть несколько минут, пока раздастся спасительный телефонный звонок.

— Хватит валять дурака! — разозлился вице-губернатор. — Никакому губернатору я звонить не буду. И вы бы не стали ему звонить, вас с ним даже не соединят.

— Но ему мог позвонить Далевский, его близкий друг. — На этот раз Дронго не блефовал, именно об этом он и попросил Гаврилу Аркадьевича.

— Глупости, — на этот раз не очень уверенно сказал Попов.

И в этот момент зазвонил телефон. Тот самый единственный аппарат, который соединял его непосредственно с губернатором. Он сразу, по привычке, схватил трубку, даже не посмотрев в сторону Дронго, и быстро ответил:

— Я вас слушаю.

— Добрый вечер, Кирилл. — Губернатор обычно обращался к нему на «ты», сказывалась большая разница в возрасте. — Хорошо, что ты еще на работе. Можешь зайти ко мне? Я хотел бы с тобой переговорить.

— Конечно. Сейчас зайду. — Попов осторожно положил трубку и, посмотрев на Дронго, тихо произнес: — Это ваша работа?

— Да, — кивнул гость.

— Я все-таки вам не верю, — задумчиво произнес вице-губернатор. Достал мобильник и набрал номер своего тестя. — Здравствуйте, Гаврила Аркадьевич, — вежливо произнес он. — Как вы себя чувствуете?

— Не очень, — признался Далевский.

— Вам сейчас нельзя волноваться. Нужно предупредить, чтобы вас не беспокоили по пустякам.

— Какое там, к черту, беспокойство! Поздно уже об этом думать, — проворчал Далевский. — Хорошо, что сам позвонил, а то уже собирался звонить тебе. У меня был один из этих московских гостей, экспертов, которые ведут расследование. Он просит, чтобы я тебя убедил отдать ему дневник Ксюши. Понимаешь, он считает, что с помощью этого дневника сумеет быстрее найти убийцу. Алло, ты меня слышишь?

— Слышу, — глухо ответил Попов.

— Нужно отдать ему этот дневник, — продолжал Далевский. — Он дал мне слово, что никому и ничего не расскажет. Только посмотрит этот дневник и вернет его тебе...

— У меня его... — начал Попов.

— Я все понимаю, Кирилл, но, думаю, им нужно помочь, — прервал его Далевский. — Я боялся, что не смогу найти тебя вечером, и позвонил нашему губернатору. Знаю, как ты его уважаешь, и просил, чтобы он тебя убедил. Алло, ты меня слышишь?

— Да, да, до свидания. — Попов положил трубку на стол и негромко пробормотал какое-то ругательство. Затем посмотрел на своего гостя.

— Как мне от вас избавиться? Я все равно не дам вам дневник, даже если меня попросит об этом президент страны. Там слишком много личного, интимного, о котором никто не должен знать. Неужели вы не понимаете, что нельзя читать такие вещи после смерти человека? — Он вышел из-за стола и сухо попросил:

— Подождите меня в приемной.

Дронго вышел из кабинета, уселся на один из стульев. Попов, не глядя на него, поспешил к губернатору, а Дронго остался вдвоем с молодой секретаршей. Она была одета в короткое бежевое платье; светлые колготки, туфли на высоком каблуке, кокетливая челка. Секретарша с любопытством смотрела на гостя.

— Вы один из московских экспертов?

— Да, — кивнул Дронго.

— У нас говорили, что из Москвы приехали лучшие сыщики, — призналась девушка. — Вы — один из них?

— Я только помогаю лучшим сыщикам. А вы давно здесь работаете?

— Уже второй год.

— А где предыдущий секретарь?

Она отвела глаза в сторону, улыбнулась, но ничего не ответила.

— Ее уволили?

Секретарша снова загадочно улыбнулась и посмотрела на дверь.

— Разве вы ничего не знаете?

— Немного, — соврал Дронго, — но без подробностей.

— Никто не знает подробностей. Но мальчик очень похож на Кирилла Игоревича, — шепотом сообщила она.

— Она была его любовницей, — догадался Дронго.

— Она родила мальчика, но уволилась за

полгода до того, как родила. Хотя все знали, что она ждет ребенка. Очень глупая женщина, — рассудительно проговорила секретарша. — Никто не запрещает тебе спать с кем угодно, тем более со своим начальником. Это перспективно и даже приятно. Но зачем рожать ребенка? Портить отношения с семьей своего шефа, рожать незаконнорожденного, уходить с такой работы...

— А супруга Попова об этом узнала? — встрепенулся Дронго.

— Конечно, узнала. Она даже хотела с ним развестись. Он несколько месяцев не смел появляться в доме. Но потом они помирились.

Вернулся Попов и с видом победителя посмотрел на своего гостя.

— И чего вы добились? — громко спросил он, не приглашая Дронго в свой кабинет. — Я сказал губернатору, что уничтожил этот дневник, так как он был для меня слишком тяжелым воспоминанием. А насчет прокурора вы солгали — думали, что я испугаюсь. Нужно знать нашего прокурора, он без согласия губернатора не посмеет дать такую санкцию никогда в жизни. Теперь убедились, что у вас ничего не получится? Дневника нет, он уничтожен.

— А мне он уже не нужен, — улыбнулся Дронго поднимаясь со стула. — Когда вы уходили, я уже знал, что вы мне его не дадите. И солжете губернатору. Дневник вы, конечно, не уничтожили, но надобность в нем отпала. Спасибо, что уделили мне несколько минут своего драгоценного времени. До свидания.

Он вышел из приемной, успев услышать, как Попов нервно спросил секретаршу:

— О чем вы говорили?

— Ни о чем, — ответила она невинным голосом.

Дронго посмотрел на часы — половина седьмого вечера. Возможно, кто-то из группы Мякишева еще на работе. Нужно пройти к зданию областной милиции, оно находится совсем близко. Идя по улице, Дронго обдумывал ситуацию. Значит, убийца сыграл на ее чувствах. Женщина чувствовала себя глубоко оскорбленной, только поэтому она согласилась встретиться с не очень знакомым человеком и пройти эти пятьдесят шагов к своей смерти. Интересно, есть ли какие-нибудь сообщения из информационного центра МВД? Дронго достал телефон и набрал номер полковника Резунова.

— Как у вас дела? Получили дневник? — возбужденно спросил полковник.

— Почти, — ответил Дронго. — Дневник мне не отдали, но вместо него я получил ценную информацию, о которой мы даже не подозревали.

— Какую информацию? — переспросил Резунов.

— У супругов были серьезные разногласия. У вице-губернатора, оказывается, есть маленький сын от бывшей сотрудницы областной администрации, но от нас скрывали этот факт. А жена об этом знала.

— Он сыграл на ее чувствах, — понял Резунов.

— Во всяком случае, почувствовал ее состояние. А у вас есть новости?

— Пришли два сообщения. С Украины и из Казахстана. В Харькове четыре года назад пропала женщина, похожая на наши жертвы.

А в Казахстане, в Астане, два с половиной года назад была убита и изнасилована женщина. Группа крови насильника — третья отрицательная. Профессор Гуртуев считает, что это действовал наш маньяк.

— Первое четыре года назад, следующее — через полтора года. Потом еще, примерно через полтора года, затем через полгода, и вот сейчас — через два месяца, — подвел неутешительный итог Дронго. — Похоже, он действительно вошел во вкус.

— И еще, — безжалостно добавил Резунов. — Группа сотрудников местной милиции обследовала два заброшенных цеха. В одном из них найдены останки погибшей. Пока не знаем, кто это, но есть все основания полагать, что это та самая женщина, которую мы искали, — исчезнувшая Лилия Сурсанова. Похоже, он успел побывать и здесь.

Дронго замер.

— Алло, вы меня слышите? — тревожно спросил Резунов.

— Да, — глухо ответил Дронго. — Мне очень хотелось ошибиться.

— Нам тоже, — признался полковник. —

Но этот безжалостный тип не оставляет никаких шансов.

— Понимаю.

— Возвращайтесь завтра утром, — попросил Резунов. — Мы срочно выезжаем в Казахстан. До Астаны отсюда недалеко, необходимо все проверить на месте.

Дронго спрятал мобильник в карман и негромко пробормотал:

— Шесть. На его счету как минимум шесть жертв.

ГЛАВА 10

После совершенного насилия в Челябинске он чувствовал себя почти неуязвимым. Если раньше его жертвами были достаточно интеллигентные женщины среднего сословия — библиотекари или искусствоведы, — то в последний раз он совершил убийство жены одного из самых высокопоставленных чиновников области. Это было не просто удовольствие, связанное с насилием и убийством красивой женщины. Это еще и вызов обществу, вызов всем, кто мог считать его неполноценным или ущербным человеком. На работе его ценили и ждали, когда наконец он защитит докторскую диссертацию. Он считался неплохим специалистом и требовательным, но справедливым руководителем.

После Челябинска Вениамин всерьез поверил в свою исключительность и начал планировать убийство единственного человека, которого так сильно ненавидел. Это был Вадим Тарасович Билык, именем которого Вениамин представлялся женщинам.

Вадим жил в престижном доме, почти в центре города, с коньсержкой и даже с камерой наблюдения. Пройти незамеченным в его квартиру было практически невозможно, это Вениамин хорошо понимал — уже давно приглядывался и к этой квартире, и к ее обитателям. С тех пор как он увидел Катю в объятиях своего соседа, прошло уже несколько лет. Казалось, все давно забыли о случившемся. Все, кроме самого Вениамина, для которого эта история стала невероятным потрясением и изменила его жизнь, подтолкнув к нынешнему состоянию. Именно поэтому он так внимательно приглядывался к дому, часто размышляя, каким образом проникнуть в квартиру своего обидчика.

Конечно, Вениамин искал и Катю, чтобы

рассчитаться и с этой дрянью, осмелившейся сделать из него посмешище. При одной мысли, что она не просто ему изменяла, а насмехалась над ним вместе со своим кавалером, можно было сойти с ума. Однажды он даже схватил нож и отправился к дому Кати, решив покончить с этим раз и навсегда. Дождавшись, когда она выйдет, он ошеломленно взглянул на нее и замер. Она была беременна. Вздувшийся живот не оставлял никаких сомнений. Беременна от другого мужчины! Это было просто оскорбление!

Но убивать женщину в подобном положении представлялось ему большим грехом. Свои преступления он таким грехом не считал, словно получаемое удовольствие каким-то образом превращалось в индульгенцию для его бесчеловечных поступков.

Катя вышла и, словно чувствуя его присутствие, испуганно посмотрела по сторонам. Позже он узнал, что она родила недоношенного семимесячного мальчика. И уехала с ним и со своим мужем-военным на Дальний Восток. Таким образом она спасла свою жизнь. На всякий случай Вениамин узнал, в какой город они переехали, решив, что рано или поздно навестит свою бывшую подругу.

Вениамин настолько уверовал в свою полную безнаказанность, считая, что он гораздо умнее, проницательнее, даже удачливее других, что уже почти не сомневался — никто не сумеет его вычислить или найти. Теперь ему казалось, что он может сам решать — кому жить, а кому умереть...

От одного из своих соседей, знакомого с семьей Вадима, Вениамин узнал, что тот купил себе дачу за городом. Он хорошо знал это место. Дача была несколько в стороне от основной дороги. Очевидно, Вадим собирался начать здесь большое строительство. Раньше у него был участок рядом с дачей Вениамина, но после того новогоднего происшествия он продал и старый участок, и старую квартиру и переехал в новый дом. Конечно, супруге он ничего не рассказал о том, что именно произошло тогда в ресторане, когда Вениамин неожиданно исчез, так и не дождавшись наступления Нового года.

Узнав о покупке дачи, Вениамин понял, что у него наконец появился шанс. И он начал готовиться к преступлению еще до того, как отправился в Уфу, за два месяца до убийства в Челябинске. А после того, как там все прошло достаточно гладко, вернулся в свой город с твердым намерением отомстить наконец своему обидчику.

У него был пистолет, купленный еще в прошлом году в Москве. Точнее, газовый пистолет, который он передал искусному мастеру, и тот достаточно легко расточил ствол, переделав оружие в боевое. Теперь Вениамин был во всеоружии. Он впервые собирался совершить преступление в родном городе, где его могли узнать, поэтому готовился еще более тщательно, обдумывая каждую деталь.

В воскресенье рано утром он вышел из дома, одетый в одежду, приобретенную на вещевом рынке в Уфе. На нем был светлый парик, смешная кепка и линзы, делавшие его глаза тоже светлыми. Даже родная сестра не узнала бы его в таком виде. Он доехал на рейсовом автобусе до дачного поселка, затем прошел пешком до последнего участка и огляделся. Именно здесь проживал Вадим. В это воскресенье он должен быть дома, его автомобиль находился за оградой. Вениамин уже несколько раз бывал здесь и знал, что гостей сюда пока не зовут. Рядом с небольшим домом, где жили хозяева, возводился двухэтажный особняк, и по воскресеньям у рабочих обычно был выходной.

Он перелез через ограду, прислушался. У супруги Вадима Лионеллы была аллергия на шерсть домашних животных, поэтому собаку они не держали. Вениамин прошел к дому, припал к окну. Ничего не увидев через стекло, обошел вокруг дома. Если он ошибся и у них все-таки гости, придется применить оружие. В магазине его пистолета было восемь патронов, но стрелять совсем не хотелось, не говоря уже о том, что выстрелы могли услышать соседи и вызвать милицию.

Он снова обошел дом, приблизился к крыльцу и увидел на дверях кнопку звонка. Ничего другого не остается, кроме как элементарно позвонить. И надеяться, что Вадим не станет спросонья удивляться, каким образом неизвестный гость оказался у его дверей, минуя ограду.

Вениамин позвонил, немного подождал,

потом позвонил снова. Услышав шаги, отступил немного в сторону. Вадим даже не спросил, кто к нему пришел. Он открыл дверь, лениво зевая, даже не подумав одеться. На нем были цветастые трусы, доходившие почти до колен, и длинная белая майка. Недовольно посмотрев на незнакомца, Вадим удивленно спросил, что ему нужно. Своего бывшего соседа он, естественно, не узнал. Вениамин усмехнулся, сжал в руках кастет и со всего размаха ударил в ненавистное лицо. Вадим отлетел назад, словно резиновый мячик, и рухнул на пол. Лицо залилось кровью.

Вениамин вошел в дом и услышал голос супруги Вадима:

— Что там случилось? Ты опять что-то уронил?

Он вернулся на террасу и быстро надел на Вадима наручники. Их он приобрел во время своего последнего визита в Москву, в магазине для эротических забав, куда зашел, чтобы просто посмотреть. Они ему понравились, и он их сразу взял. Каждый раз связывать свои жертвы было неудобно и грубо. К тому же в двух последних случаях он даже и не связывал руки. Обе женщины не могли оказать ему сопротивление в любом состоянии.

Вениамин поднял все еще плохо соображавшего Вадима, втащил его в дом и посадил в кресло рядом с батареей. Прицепив его руку к батарее, прошел в спальную комнату, где находилась Лионелла. Она испуганно подняла голову, увидав его. Кажется, все-таки успела закричать. Он рванулся к ней, и она, вскочив с кровати, резко метнулась в сторону. Он схватил ее за длинные волосы и больно потянул к себе. Она снова попыталась вырваться, крикнуть. Тогда он заклеил ей рот скотчем и начал ее связывать. Лионелла была в длинной ночной рубашке, под которой, очевидно, ничего не было. Он связал ей руки и ноги, принес женщину в большую комнату и усадил в кресло.

Теперь оба супруга сидели друг против друга. Вадим качал головой, пытаясь прийти в себя, — все-таки Вениамин ударил его достаточно сильно. Лионелла мычала от страха и ужаса, не понимая, что происходит. Ее мычание и беспомощность вызывали желание у

Вениамина, но пришел он не за этим. Он точно знал, что именно хочет сделать.

Вениамин подошел к Вадиму, достал пузырек с нашатырным спиртом. Тот понюхал и, резко отпрянув, закашлялся. Потом взглянул на своего мучителя.

— Что тебе нужно? Если деньги, они лежат в спальне, в тумбочке. Там деньги для расчета с рабочими. Забери и уходи. Они скоро здесь появятся.

Вениамин усмехнулся. Он знал, что по воскресеньям у рабочих выходной. На этом настояла супруга хозяина, чтобы хоть один день в неделю не слышать грохота и криков.

— Ты меня не узнал? — спросил Вениамин у своего бывшего соседа.

Тот отрицательно покачал головой.

Тогда Вениамин снял парик, положил его на стол. Затем снял очки. Посмотрел на Вадима.

— Вениамин! — изумленно произнес тот. — Что тебе нужно? Почему? Как?

— Решил навестить старого знакомого.

Лионелла за их спиной перестала мычать,

она тоже узнала бывшего соседа. Вениамин повернулся и подошел к ней.

— Только не кричите, — попросил он, сдирая скотч с ее рта.

Она испуганно посмотрела на него и спросила пересохшими губами:

— Вениамин, что вы здесь делаете?

— Он знает, — коротко ответил Вениамин, показывая в сторону ее супруга.

Тот подавленно молчал.

— Ты ничего не хочешь рассказать своей жене? — с издевкой посмотрел на него Вениамин.

— Что происходит, Вадим? — прошептала Лионелла. — Я ничего не понимаю.

— Давай, давай, — негромко предложил гость, — начинай рассказывать. Она ведь наверняка не знает о твоих «подвигах».

— Иди к черту! — нервно бросил Вадим.

— Если не хочешь, могу и сам рассказать.

— Заткнись! Какой ты мужчина, кретин чертов! Это дело касается нас двоих. Мог бы просто набить мне морду. При чем тут Лионелла?

— Набить морду? — заинтересованно спро-

176

сил Вениамин. — Это даже интересно. — Он подошел и сильно ударил Вадима по лицу. Затем еще раз и еще.

Лионелла вскрикнула:

— Прекратите! Вы делаете ему больно.

— Он тоже сделал мне больно, — ответил Вениамин, отходя от ее мужа.

— Сволочь! — Вадим сплюнул слюну пополам с кровью. — Придумал новые правила игры? Решил таким образом состояться? Тебя все равно найдут, сразу поймут, кто мог к нам залезть.

— Разве не ты первый изменил эти правила? Или ты считал, что будет правильно, если будешь вести себя как паскудник, а твоя жена останется в неведении.

— Вадим, что происходит? — Лионелла ничего не понимала.

— Не обращай внимания. Он — сумасшедший сукин сын!

— Нет, — ответил Вениамин, — я не сумасшедший. И ты об этом прекрасно знаешь. Скажите, Лионелла, вы не спрашивали у него, почему он продал участок рядом с нашей дачей и съехал из нашего дома?

Она молчала, уже понимая, что, очевидно, не все знала о своем муже.

— Почему вдруг он не захотел жить рядом с нами ни в доме, ни на даче? — продолжал спрашивать страшный гость.

— Мы нашли более просторную квартиру, — ответила Лионелла, — а на этом участке мы строим... я не совсем понимаю, какое отношение имеют ваши вопросы к вашему поведению, — вдруг взорвалась она, увидев, как муж презрительно скривил губы. — Что происходит? Почему вы ворвались в наш дом, избили и связали нас? Что мы вам сделали? Вы обиделись на то, что мы от вас переехали?

— Да, очень обиделся, — усмехнулся Вениамин. — Не спал ночами только из-за того, что больше никогда не увижу наглую физиономию вашего мужа. Только пусть он сам объяснит вам причину переезда.

— Вадим, почему ты молчишь? — обратилась к мужу Лионелла и, не дождавшись ответа, обратилась к гостю: — Вениамин Борисович, вы же интеллигентный человек, ученый, директор института. Как вы можете себя так вести? Ворваться в наш дом, схватить меня за волосы, ударить Вадима...

— Вы помните, как шесть лет назад мы вместе встречали Новый год? — вместо ответа спросил Вениамин.

— Конечно, помню. Вы так неожиданно пропали. Вадим сказал, что вы себя плохо почувствовали. Бедная Катя так переживала и тоже уехала с вами.

— Не со мной. Она поехала домой к своим родителям. С того дня мы разошлись навсегда. Можно сказать, что ваш супруг просто сломал мою будущую семейную жизнь.

— Хватит, — поморщился Вадим, — какая семейная жизнь! Ты был обычным импотентом, у которого ничего не получалось.

Вениамин рванулся с места и снова ударил по ненавистному лицу. Лионелла вскрикнула.

— Это она тебе тоже рассказывала, — прошипел он. — И поэтому ты решил помочь ей; войти, так сказать, в ее положение? Знаете, Лионелла, что он изменял вам с моей Катей? Изменял нагло и все время. Значит, мы с вами — животные из одной пары. С такими большими ветвистыми рогами. Я долго не решался поверить в их измену. А потом лично обнаружил эту «сладкую парочку» в одной из комнат того самого ресторана, куда мы отправились отмечать Новый год. Вы бы видели, как он работал своими ягодицами. Какой ритм, какой такт! Впрочем, вы, наверное, об этом знаете...

По мере того как он говорил, Лионелла расширяющимися от ужаса и стыда глазами смотрела на своего мужа.

— Вадим, ты действительно с ней встречался? — спросила она упавшим голосом.

— Он все врет, — отвел взгляд Вадим.

— И я уехал, не дождавшись встречи Нового года. Поэтому вы так быстро поменяли квартиру? Поэтому мы разошлись с Катей? Подумайте, Лионелла, вы ведь достаточно разумная женщина и неплохо знаете своего мужа.

Она уже ничего не спрашивала, очевидно понимая, что все сказанное — правда.

— Вот так и закончилась моя семейная жизнь, — продолжал Вениамин. — Наверное, я был слишком слабым мужчиной для Кати, слишком вялым и слишком заумным. Я ведь не торгую машинами, как ваш муж, не умею перепродавать стройматериалы и продукты. Я всего лишь хлюпик-интеллигент, работающий в институте. И поэтому мне можно наставить большие рога, забрать мою женщину в разгар торжества и пользовать ее, даже не снимая с нее нового платья, которое я подарил ей на Рождество.

В глазах Лионеллы появились слезы. Вадим подавленно молчал.

— А теперь он еще говорит, что я импотент, — все больше и больше возбуждался Вениамин. — Он ведь наверняка еще и насмехался над моим физическим состоянием, ликовал, чувствуя свое превосходство. Не в интеллекте, конечно, — он за всю жизнь не прочел столько книг, сколько я читаю за неделю, — не в уме, а именно в таланте делать деньги, обманывать клиентов, уводить чужую жену с праздника. Здесь я, конечно, сильно ему уступаю.

— Не нужно больше ничего говорить, — попросил Вадим. — Хватит об этом. Я был очень виноват. Если хочешь, готов попросить у тебя прощения. И у Кати тоже. Я был не прав. Тогда так получилось. Мы все сильно выпили, я себя не контролировал...

— Опять врешь, — покачал головой Вениамин. — Ты спал с ней задолго до Нового года. И когда был трезвым, и когда был пьяным. Ты встречался с ней еще с лета, все время обманывая меня. И обманывая свою жену.

— При чем тут Лионелла! — разозлился Вадим. — Тоже мне, блюститель нравственности нашелся. Был бы нормальным мужиком, я бы попытался тебе объяснить. Если сам ничего не можешь, это не значит, что и остальные должны быть такими же импотентами, как ты.

На этот раз Вениамин не стал бить Вадима. Усмехнувшись, он взглянул на Лионеллу.

— Значит, говоришь, ничего не могу? — Вениамин неожиданно подошел к женщине и снова заклеил ей рот скотчем. Затем начал раздеваться.

— Что ты делаешь? — упавшим голосом спросил Вадим.

— Собираюсь доказать тебе, какой я импотент, — злобно ответил Вениамин. — Будет обидно, если ты умрешь, так ничего и не узнав.

Когда он начал снимать с себя трусы и майку, супруги наконец поняли, что он не шутит. Лионелла испуганно замычала.

— Это наказание, — убежденно говорил Вениамин. — Если меня когда-нибудь найдут и арестуют, в тюрьме я буду героем. Всем расскажу, как наказывают подлецов, которые приходят к тебе домой и щупают твою жену под столом. А потом во время праздника уводят ее в сторону, чтобы воспользоваться моментом. — Он подошел к женщине и разорвал на ней ночную рубашку.

— Не смей! — закричал Вадим. — Не смей этого делать! — Он даже заплакал от бессилия, пытаясь выдернуть руку.

— Иначе мы не будем в расчете, — возразил Вениамин.

Он толкнул Лионеллу на пол. Было видно, что она находится в полуобморочном состоянии. Чувствуя нарастающее возбуждение, Вениамин развязал ей ноги. Вадим сразу понял, что именно сейчас произойдет.

— Не нужно! — снова крикнул он, надеясь, что сумеет остановить безумца.

— Импотент! — закричал Вениамин. — Я тебе покажу, какой я импотент.

Никогда прежде он не набрасывался на женщину с такой яростью и ожесточением. Никогда прежде не входил в женскую плоть с такой энергией и силой. Она забилась, уже теряя сознание от боли и ужаса всего происходившего. А он начал сжимать ее горло, ощущая в себе характерное состояние дикого удовлетворения. У женщины были сломаны шейные позвонки. Кажется, что-то кричал Вадим, но потом замолчал. Вениамин поднялся и посмотрел на него.

— Я тебя убью, — спокойно проговорил Вадим. Очень спокойно, словно ничего не произошло. Он впал в какую-то прострацию.

— Нельзя нарушать библейские заповеди, — нравоучительно сказал Вениамин.

Он стоял раздетый над обнаженным телом убитой и обесчещенной им женщины, и в его устах эти слова звучали кощунственным богохульством.

184

— Не возжелай жены ближнего своего, — сказал он напоследок, — иначе око за око, зуб за зуб.

Вадим молча смотрел на убитую жену. Вениамин понял, что нужно уходить. В глазах бывшего соседа сквозила такая ненависть, что он готов был зубами разорвать наручники и загрызть своего обидчика. Вениамин достал оружие, но передумал и убрал пистолет. По пулевым ранениям его легко будет вычислить. Уточнить, что это переделанный пистолет, и выйти каким-то образом на него. Рисковать нельзя. Он подошел к Вадиму.

— Лучше убей меня, — процедил тот сквозь зубы. — Иначе я все равно найду тебя и убью.

Вениамин ничего не ответил. Он принес остатки порванной ночной рубашки и долго душил своего бывшего соседа, который все никак не хотел умирать. Затем отстегнул наручники и забрал ключи от машины Вадима. Вениамин знал, что не имеет права оставлять тело женщины в этом доме, иначе его довольно быстро смогут найти. Поэтому он завернул тело в одеяло, поднял его и отнес в машину. Вернулся, осмотрел место убийства и снова пошел к машине. О деньгах, оставленных в тумбочке, о которых говорил ему Вадим, он даже забыл.

Вениамин отъехал от города на триста километров, прежде чем нашел подходящее место, где и закопал тело женщины. Возвращаясь обратно, он столкнул машину с обрыва и долго наблюдал, как она падает, переворачиваясь и теряя детали. Но, свалившись вниз, она не взорвалась и не загорелась. Это было обидно, но спускаться и поджигать машину времени не было. Домой Вениамин вернулся на электричке. Чувствовал он себя гораздо лучше. И не только потому, что все получилось так, как он хотел. Он действительно считал, что воздал по заслугам Вадиму, который сломал его жизнь и увел его женщину. А Лионелла пострадала из-за того, что была женой этого подлеца.

Убийство Вадима всколыхнуло весь дачный поселок. Многие знали о его похождениях. Некоторые даже уверяли, что это его жена не выдержала частых измен и задушила своего мужа, решив уйти от него навсегда. Во всяком случае, в тумбочке нашли больше ста тысяч рублей, и стало понятно, что хозяина дома убили не грабители и не воры, случайно забравшиеся на дачу. Лионеллу Билык объявили в общесоюзный розыск, и ее фотографии появились во всех райотделах области.

ГЛАВА 11

В здании областного УВД Дронго появился в восьмом часу вечера. Он попросил дежурного офицера найти подполковника Мякишева или капитана Павленко. Второй как раз находился в здании и сам спустился за гостем, оформляя ему пропуск. Они поднялись в кабинет Павленко.

— Позвоните Мякишеву, пусть приедет сюда, — устало попросил Дронго, усаживаясь на стул.

Павленко достал свой мобильник и набрал номер уже ушедшего подполковника Мякишева, руководившего оперативной группой по расследованию убийства супруги вице-губернатора.

— Товарищ подполковник, вам нужно срочно вернуться на работу.

— Что случилось? — недовольно спросил Мякишев.

— Вернулся один из наших московских экспертов, — пояснил капитан.

— Опять? — не поверил подполковник. — А почему меня не предупредили? Может, ты ошибся? Мне никто ничего не говорил.

— Он сидит у меня в кабинете, — ответил Павленко.

— Кто?

— Эксперт Дронго. Вы приедете?

— Да. Конечно, приеду. Хотя подожди, передай ему телефон.

Павленко передал трубку гостю.

— Зачем вы опять приехали? — раздался раздраженный голос подполковника. — Я думал, что вы уже закончили свою работу в нашем городе. Мы продолжаем поиски возможного убийцы.

— У нас появилась новая информация, — спокойно ответил Дронго, — поэтому я и вернулся. Еще два похожих случая и один — в соседнем Кургане.

— Уже после нашего? — не поверил Мякишев.

— На полгода раньше. Когда вас ждать?

— Сейчас еду, — бросил подполковник и отключился.

Дронго вернул мобильник капитану и спросил:

— Почему в прошлый раз нам никто не сказал о внебрачном сыне вице-губернатора?

Павленко отвел глаза в сторону.

— Не молчите, — строго произнес Дронго. — Вы должны были понимать, насколько важна подобная информация. Мы допрашивали всех сотрудников института, где работала погибшая, чтобы узнать хоть что-нибудь о ее характере, взаимоотношениях с мужем, с коллегами, а вы скрыли от нас такой важный факт. Значит, она бывала у своих родителей гораздо чаще, чем нам сообщили, и в ее семье уже полтора или два года были очень серьезные проблемы.

— Мы получили категорический приказ никому об этом не рассказывать, — пояснил капитан. — Руководство считало, что его сын не имеет никакого отношения к этому случаю.

— Наверное, существование сына объясняло их отношения друг с другом, — недовольно сказал Дронго. — Неужели такие элементарные вещи нужно объяснять? Мы ведь в первую очередь интересовались отношениями между погибшей и ее мужем, а вы все уверяли, что они были нормальными.

— Здесь не Москва, — виновато проговорил Павленко, — и все друг друга знают. Нам сказали, что это не имеет никакого отношения к ее убийству. Тем более что ребенок родился еще полтора года назад и его мать давно уволилась из областной администрации.

— Это объяснило бы душевное состояние жертвы, — махнул рукой Дронго. — Судя по всему, убийца действует уже достаточно давно, и число его жертв все время растет. А мы ничего не знаем про него и позволяем этому чудовищу безнаказанно убивать женщин. Вы же опытный оперативный сотрудник. Неужели вы не понимали, как важна для нас любая информация.

— А как вы узнали? — спросил капитан. — Кто вам об этом рассказал?

— Сорока на хвосте принесла, — зло ответил Дронго. — У меня тоже появились свои источники информации.

— Зато мы получили очень важные сведения, — быстро сказал капитан. — Завтра утром хотели отправить донесение в Москву.

— Неужели смогли вычислить убийцу? — съехидничал Дронго.

— Мы опросили всех проводников, которые были в день убийства в нашем городе, все поездные бригады. Один из проводников вспомнил мужчину лет сорока, прибывшего в тот день из Екатеринбурга. Мужчина был хорошо одет, в очках, нес небольшой портфель. Проводник запомнил его еще и потому, что он пил чай из своего стакана — очевидно, был достаточно брезгливый. И еще у него был с собой пузырек со спиртом, которым он все время протирал руки.

— Он сумел описать его внешность?

— Завтра утром мы поработаем с этим проводником, попытаемся составить фоторобот. Но он честно признался, что не очень хорошо помнит черты лица незнакомца. Говорит, что у него были густые волосы и очки.

В кабинет ворвался подполковник Мякишев.

— С приездом, — сказал он, усаживаясь на стол капитана, не протягивая руки.

Дронго сухо кивнул ему в ответ.

— Мы уже нашли проводника, который даст нам описание убийцы, — сообщил подполковник. — Как видите, мы тоже умеем работать достаточно оперативно.

— Не сомневаюсь. Представляю, какое количество людей вы бросили на поиски убийцы супруги вице-губернатора, — отозвался Дронго, не скрывая сарказма.

— Вы сами говорили, что это опасный убийца, — напомнил Мякишев. — Поэтому мы сделали все, чтобы найти какие-нибудь следы. У вас тоже есть новости? Зачем вы вернулись?

— Судя по данным информационного центра МВД, он совершил несколько преступлений, — сообщил Дронго. — Похожие случаи были в Павловске и Кургане.

— Поэтому его так трудно найти. Он серийный убийца, — заметил Мякишев.

— Возможно, что он действует и на территории других соседних стран, — добавил

Дронго. — Есть еще два случая — в Харькове и Астане.

— Да он у нас международный преступник, — сквозь зубы выдавил Мякишев. — Ничего, мы его все равно возьмем.

— Но для этого нужно сообщать всю информацию, которую вам удается получить, чтобы была более объективная картина, — сказал Дронго.

— В каком смысле? — насторожился подполковник.

— Почему вы скрыли от нас, что у вице-губернатора и его супруги были серьезные разногласия, а у него есть внебрачный сын от одной из бывших сотрудниц администрации?

Мякишев взглянул на Павленко, не скрывая своего бешенства. Но капитан покачал головой, давая понять, что он не мог сообщить эту новость гостям из Москвы.

— Откуда вы узнали про его сына? — спросил подполковник.

— Сейчас меня больше интересует, почему вы скрыли этот важный факт?

— Это личная жизнь нашего вице-губернатора, которая не имеет никакого отношения к убийству его супруги, — начал Мякишев. —

Но если вам так интересно, скажу. Первым человеком, которого мы проверяли, была мать этого мальчика. Мы проверили не только ее, но и всех ее друзей, родных, знакомых, даже соседей. Понятно, что, если убита супруга вице-губернатора, в числе подозреваемых может быть бывшая любовница. Но у нее абсолютное алиби. За две недели до убийства она уехала к своей матери в Казань. Мы командировали и туда двух сотрудников. Можете быть уверены, что мы проверили ее так, как никого из остальных подозреваемых. И не забывайте, что жертва была не только убита, но и изнасилована. А группа спермы и крови подозреваемого совпадает с аналогичными показателями у других жертв. Поэтому наш генерал принял решение не разглашать информацию о личной жизни Попова и изъять эти материалы из дела.

— Ваш генерал будет отстранен от работы за превышение должностных полномочий, — пообещал Дронго. — Эта информация была крайне важна для того, чтобы мы правильно проанализировали психическое состояние жертвы накануне убийства. Вы же прекрасно знали, что профессор Гуртуев, входящий в нашу комиссию, является известным психоаналитиком, и тем не менее скрыли от нас важную информацию.

— Я считаю, что наше руководство приняло верное решение, — отчеканил Мякишев. — Что же касается нашего генерала, не вам решать, где ему служить и сколько. К счастью, вы всего лишь привлеченный эксперт, хотя, если откровенно, я не понимаю, зачем нужно было включать вас в группу по расследованию этих преступлений. У нас достаточно и своих ценных специалистов. Полковник Резунов и профессор Гуртуев наверняка справились бы и без вас. Насколько я слышал, вы вообще не являетесь гражданином нашей страны и на вас не может быть оформлена форма допуска к секретным документам. Именно поэтому мы были вправе не давать вам информацию, которую считали достаточно закрытой.

— Самое опасное — это идиотизм, с которым вы отстаиваете свое глупое решение, — разозлился Дронго и поднялся.

— Перестаньте меня оскорблять! — вскочил подполковник. — Я больше вам ничего не скажу. И вообще, покиньте помещение нашего УВД! Вы не офицер милиции и не имеете права находиться здесь в нерабочее время. В следующий раз приезжайте с комиссией в служебное время, и я отвечу на ваши вопросы, если сочту их достаточно компетентными.

— Ах, подполковник, — с упреком проговорил Дронго. — Неужели вы ничего не поняли? Речь идет о преступнике, который может появиться в любой точке страны. Из-за того, что вы решили так рьяно охранять честь своего вице-губернатора, мы потеряли время.

— Ничего вы не потеряли, — возразил Мякишев. — Я уже сообщил вам, как тщательно мы все проверили. А копаться в грязном белье вице-губернатора, причинять боль семье, потерявшей близкого человека, неправильно и некрасиво.

— Значит, вы думали не о своей карьере, а о душевном состоянии вице-губернатора? — не скрывая иронии, спросил Дронго.

— Уходите отсюда немедленно, — крикнул подполковник, — иначе я просто за себя не ручаюсь!

Дронго покачал головой.

— Вот такие «специалисты» могут все испортить, — сказал он на прощание и вышел из комнаты.

— Позвони дежурному и прикажи, чтобы его больше не пускали в наше здание! — взвизгнул Мякишев, обращаясь к Павленко.

— Может, не нужно, — осторожно предложил капитан. — Все-таки он — эксперт из Москвы, его прислали вместе с комиссией, могут быть неприятности.

— Ты слышал, как он угрожал нашему генералу? Кто он такой, чтобы так разговаривать?! Пусть скажет спасибо, что я его не арестовал за оскорбление сотрудников милиции при исполнении служебного долга. И вообще, хватит! Ты определись наконец, с кем работаешь. Все время смотришь на сторону... Сам знаешь, у нас не любят «крыс».

Дронго вышел из здания областного управления, остановил первую проезжавшую мимо машину и попросил отвезти его на вокзал. Там он выяснил, что сегодня вечером поездов на Курган не будет, только завтра утром. Оставаться в Челябинске после происшедшего спора с Мякишевым ему не хотелось. Он выяснил, что есть поезд на Екатеринбург, откуда можно с пересадкой добраться до Кургана. Поезд отходил через двадцать минут. Дронго купил билет и вышел на перрон. Посмотрел на расписание поездов.

Профессор Гуртуев считал, что новый серийный убийца может появиться в двух местах: либо на Северном Кавказе, либо в районе Урала. Он даже указал на так называемые аномальные зоны, первая из которых концентрировалась вокруг Ростовской области, а вторая — вокруг Пермского края и Свердловской области. В расписании поездов указаны Уфа, Челябинск, Курган — все на одной линии.

Нет никаких сомнений, что преступник использует поезда, чтобы добраться до указанных городов. Ведь в самолетах проверки достаточно строгие, там нужно не просто предъявлять паспорт, а фиксировать свои поездки, тогда как, добираясь до нужного города на электричках и пригородных поездах, он может вообще не показывать паспорта.

Если бы у России существовал визовый режим с Украиной и Казахстаном, можно было попытаться обнаружить возможного убийцу. Но российские граждане, пересекающие границы, не фиксируются. К сожалению, такой статистики нет. К тому же оба убийства были совершены очень давно. Ни один пограничник не вспомнит, кто именно проезжал четыре года назад через Харьков и откуда вообще приехал! Но остальные три города слишком близко находятся друг от друга — Уфа, Челябинск, Курган. Он, скорее всего, выходит на охоту в соседних городах.

Нужно обратить особое внимание на это. Оренбург, Екатеринбург, Пермь, Ижевск. Если проводник, которого нашла группа Мякишева, сумеет дать хотя бы приблизительное описание убийцы, будет гораздо легче его искать. Хотя некоторые зацепки у них уже появились. Тут по радио объявили, что поезд на Екатеринбург прибудет на второй путь, и Дронго заторопился на перрон, продолжая размышлять. Судя по описаниям проводника, это может быть тот, кого они ищут. Он носит с собой простыню, бутылочку со спиртом, чтобы протирать руки, и, конечно, одноразовые перчатки, чтобы не оставлять следов.

Эксперт поднялся в свой вагон, прошел в

четырехместное купе, где двое мужчин уже с удовольствием ужинали. На столике стояла большая бутыль самогона. Лежавший на верхней полке мужчина читал журнал.

— Заходи, — обрадовались попутчики, — мы как раз ждали, кто к нам придет. А то у нашего соседа язва, он не может пить.

— А у меня гастрит, — соврал Дронго, — я тоже не могу.

— Все больные стали, — махнул один из сидевших за столом. — А спирт, между прочим, очищает. Вот у меня диабет, а врачи советуют каждый день принимать немного водки. Это даже полезно.

— Но у меня же не диабет, — возразил Дронго.

Он вышел в коридор, прошел в тамбур и набрал номер мобильного телефона полковника Резунова.

— Утром буду в Кургане. Между прочим, группа Мякишева нашла проводника, который запомнил мужчину, похожего по описаниям на нашего знакомого.

— Не может быть! — обрадовался Резунов. — Наконец-то. Представляю, какую работу они провели. Вот что бывает, когда убивают супругу известного человека. Иначе им просто не разрешили бы допрашивать все поездные бригады, прибывшие в тот день в Челябинск. Кроме того, очень оперативно нашли тело. Ведь погибшую в Кургане не могли разыскать целых шесть месяцев.

— Умирать тоже нужно, имея влиятельных родственников, — пробормотал Дронго.

— Что? — не понял Резунов.

— Ничего. Вы как всегда правы, Виктор Андреевич.

— И еще, — неожиданно добавил полковник. — Кажется, насчет Кургана мы ошиблись. Эксперты считают, что женщину убили, но не насиловали. Возможно, это обычное бытовое преступление. Утром проведут дополнительную экспертизу.

— Не может быть! — растерянно произнес Дронго. — Неужели мы ошиблись?

ГЛАВА 12

Вениамин прошел к своей машине, поздоровался с водителем и привычно уселся на заднее сиденье. Водитель знал, что утром, перед тем как заехать за своим директором, он должен купить местные и центральные газеты. Вениамин начал просматривать их и неожиданно для себя наткнулся на заметку в одной из центральных газет. «В стране появился новый Чикатило», — гласил громкий заголовок. Корреспондент рассказывал, что в Министерстве внутренних дел создана специальная группа экспертов под руководством опытного сыщика полковника Резунова, которые должны найти серийного маньяка, действующего в районах Западной Сибири и Урала. Указывалось, что этот тип тщательно готовит свои преступления, а среди его жертв была даже заведующая лабораторией из Кургана и супруга одного из самых высокопоставленных лиц из Челябинской области. Прочитав эти строки, он даже усмехнулся; затем быстро оглянулся по сторонам, словно кто-то мог увидеть эту усмешку.

В статье перечислялись города, где он успел побывать, и даже указывалось, что преступник не ограничивает себя территорией России, а иногда выезжает и в соседние республики. Так. Получается, что они знают и про Харьков, и про Астану. Он почувствовал некоторое волнение, словно кто-то невидимый сжал ему горло своей холодной рукой. Интересно, что это за группа экспертов? В конце заметки сообщалось, что в нее, по предложению генерала Шаповалова, вошли известный психоаналитик профессор Казбек Измайлович Гуртуев и международный эксперт, имени которого никто не знает. Он известен только под непонятной кличкой Дронго. Вениамин аккуратно сложил газеты и задумался. Где-то он слышал эту необычную кличку.

Он поднялся в свой кабинет, привычно поздоровался с секретаршей и попросил ее пригласить к нему заведующую институтской библиотекой. Кристина приехала работать к ним в прошлом году, переведясь сюда из Новосибирска, так как ее супруг был назначен заместителем прокурора области, и они с двумя мальчиками-близнецами переехали сюда. Ей было около тридцати; небольшого роста, подвижная, в очках, она больше походила на подростка, чем на взрослую женщину. К счастью, она была не блондинкой, и фигура у нее почти мальчишеская.

Кристина вошла в его кабинет и весело поздоровалась. Он ценил ее знания и обращал внимание на то, что она обычно читает. Это были новинки зарубежной литературы, и среди авторов попадались такие имена, о которых он раньше даже и не слышал, хотя считал себя достаточно начитанным человеком.

— Садитесь, — предложил он Кристине, — у меня к вам несколько необычное дело. В прошлый раз, когда я был у вас в библиотеке, я обратил внимание, что вы читали Дэна Брауна, а до этого была книга Умберто Эко. Все правильно?

— Да, — улыбнулась она. — Вы считаете, что чтение детективов меня не очень хорошо характеризует? Но это не примитивные боевики. Дэн Браун сейчас очень популярен, а Умберто Эко вообще поднял детектив на новую культурологическую ступень.

— Я как раз не отношу себя к снобам, делящим литературу на низкие и высокие жанры, — тоже улыбнулся Вениамин. — В молодости мне очень нравился Рекс Стаут с его поразительным героем, разгадывающим все загадки, сидя в кресле.

— Ниро Вульф, — кивнула Кристина. — Это уже мастерство писателя. Он показывает работу мысли, а не ног и кулаков, как в примитивных боевиках. Но вы и сейчас молодой, — добавила она.

— Иногда чувствую себя таким старым, — признался Вениамин, — словно прожил уже много жизней.

— Значит, у вас обычный кризис среднего возраста. Вам нужно сменить обстановку и отправиться путешествовать в экзотические страны.

Оба рассмеялись.

— Я позвал вас, чтобы узнать про одного эксперта, — продолжил Вениамин Борисович. — Сегодня в газете прочел его необычную кличку и подумал, что уже где-то слышал ее. Может, вы мне поможете?

— У него есть кличка? — рассмеялась Кристина. — Тогда это не человек, а выдуманный образ.

— Дронго, эксперт по расследованиям.

— Вот этого я как раз знаю, — оживилась Кристина. — Про него, кажется, писали в «Московском комсомольце». Он является специалистом по расследованию самых запутанных преступлений. Говорят, что нет такого преступника, который мог бы его обмануть.

— Даже так?

— Мне муж о нем много рассказывал, — вспомнила Кристина. — Он как раз был в Москве в прошлом году, на курсах повышения, и говорил, что они там разбирали несколько случаев из практики этого эксперта. Только он вроде бы иностранец, точно не помню.

— Значит, я читал про него в газете, — сказал Вениамин, стараясь выглядеть спокойным, но голос выдавал его волнение.

— Наверное, читали, — согласилась Кристина. — Сейчас про сыщиков и бандитов пишут больше, чем про космонавтов и ученых. Я даже вспоминаю, что кто-то из друзей мужа дал ему электронный адрес этого эксперта. Его знают многие прокуроры и следователи.

— Интересно, — усмехнулся он, — может, мне тоже дадите его адрес, и я буду еще больше любить детективную литературу.

— Конечно, — улыбнулась она. — Муж так ему и не написал, постеснялся. Но адрес хранится у меня в памяти компьютера. Если хотите, сейчас принесу.

— Принесите, — попросил Вениамин Борисович. — А в следующий раз оставьте и для меня что-нибудь из ваших любимых авторов.

— Обязательно, — пообещала она и покинула кабинет.

Итак, против него выставили лучшие силы, понял Вениамин. Они создали специальную группу и будут теперь искать его по всей стране. Нужно учесть это обстоятельство при дальнейших передвижениях. О чем он думает? Неужели снова собирается отправиться куда-нибудь на охоту? Неужели снова рискнет, даже прочитав это сообщение.

Вениамин даже разозлился на самого себя. Потом немного успокоился. Конечно, он не остановится. И пока его не разоблачат, будет ездить, знакомиться, встречаться, готовить новые преступления и снова насиловать, душить, убивать. Иначе он просто не сможет жить. Или придется отправиться к врачам и попросить сделать его в сорок лет евнухом, отрезав все, что можно отрезать.

Он вспомнил, как в детстве, собравшись в туалете, мальчишки с понятным любопытством разглядывали крайнюю плоть Мурата, татарского мальчика, которому сделали обрезание по мусульманским правилам. Всем было интересно увидеть это зрелище, пока в туалете не появился Яша Хейфец, который не понял, из-за чего такой ажиотаж. А когда понял, начал громко смеяться, пояснив, что подобное обрезание еврейским мальчикам делают еще до сорока дней. Тогда Вениамину было страшно представить, что кто-то может полоснуть ножом по его крайней плоти. Он всегда считал подобный обычай пережитком дикого варварства, сохранившимся у евреев и мусульман, пока у его племянника, сына Полины, не обнаружили фимоз, при котором крайняя плоть закрывалась нарастающей кожей, и ребенку потребовалась срочная операция. Именно тогда он узнал, что многие американцы практикуют обрезание мальчиков, независимо от их религиозной принадлежности, уже на второй день после рождения и считают это процедуру гигиенически необходимой и даже очень полезной.

Говорили, что именно поэтому у мусульман и иудеев более тесный контакт с женщинами, и они получают больше удовольствия, а также никогда не болеют онкологическими заболеваниями крайней плоти. Раньше, когда у него ничего не получалось, он собирался обратиться к врачам и проделать такую процедуру обрезания, но теперь именно крайняя плоть распоряжалась его судьбой, вызывала самые сильные эмоции, самые невероятные ощущения. И именно она сделала его тем, кем он стал. Вениамин поморщился. Господи, какие неприятные мысли лезут в голову!

Тем не менее следует принять во внимание, что на него не только объявили настоящую охоту, но и нашли опытных охотников, которые будут очень внимательно следить за его ошибками. Надо еще раз вспомнить, как именно он вел себя в этих городах, не допускал ли оплошностей, не выдавал ли себя каким-то жестом, словом, взглядом. Каждый раз, выезжая на место нападения, он надевал очки, менял костюмы, даже парфюм, чтобы его не могли узнать по запаху. Каждый раз он собственноручно сжигал простыню, одноразовые перчатки, уничтожал железнодорожные билеты и карты городов, необходимые ему для ориентации. Он был специалистом по городской архитектуре, и его институт считался одним из ведущих именно в этой области. Поэтому он очень уверенно ориентировался на местах, хорошо читал карты и мог безошибочно найти любое нужное ему место.

Кажется, в его блокноте есть фамилии еще двух жертв, к встрече с которыми он давно и тщательно готовился. Ирина Торопова из Волгограда, учительница истории средней школы, двадцать восемь лет, блондинка. Никогда не была замужем; но, судя по ее словам, у нее был друг, который погиб в автомобильной катастрофе пять лет назад. И еще Алена Кобец, дочь прокурора, работает в поликлинике офтальмологом. Ей тридцать четыре, она разведена, любит одеваться, путешествовать, проводить время с друзьями. У нее уже взрослый сын, кажется, ему тринадцать или четырнадцать.

С Ириной он познакомился случайно, когда ездил в автобусе, надеясь найти подходящую жертву, и обратил внимание на скромную блондинку, сидевшую в углу. Его поразили ее глаза — умные, внимательные, требовательные. Такая женщина могла стать идеальной женой, если бы он был нормальным мужчиной. Они познакомились, поговорили об истории, и он поразился обширным знаниям. По привычке представился ей Вадимом и сказал, что является книгоиздателем. Ему было удобно так представляться. И хотя далеко не все издатели были людьми достаточно интеллектуальными и начитанными, женщины охотно верили, что существуют и подобные бизнесмены с широким взглядом на мир и высоким интеллектом.

Алене он рассказывал о своей поездке в Шотландию, где посещал старые родовые замки шотландской аристократии, в которых водились призраки и духи умерших предков этих заносчивых герцогов и графов. Она честно призналась, что еще не была в Шотландии, но собирается отправиться туда этим летом. Конечно, отправляться вдвоем никак не входило в его планы. В этом случае он должен был предъявить свой настоящий паспорт, получить английскую визу, пройти дважды границу — туда и обратно, а самое главное, познакомиться с ее папой — прокурором. После этого убить его дочь — и остаться на свободе. Понятно, что его арестуют ровно через час после того, как пропадет эта женщина. Он пообещал ей совместную поездку, понимая, что она никогда не состоится. Но в качестве потенциальной жертвы Алена вполне не подходила.

Иногда он был противен самому себе. Столько сил, таланта, ума, эрудиции прилагалось только к тому, чтобы найти очередную женщину и задушить ее в своих объятиях. Только для того, чтобы изнасиловать несчастную, хотя почти каждая из них готова была пойти с ним на контакт при соответствующем обращении и внимании с его стороны. Зачем? Почему? Можно ведь находить обычных проституток в чужих городах и убивать их подобным образом. Зачем он так рискует, подставляясь со своими знакомствами и связями? Но проститутки его не волнуют. Во-первых, все еще хочется чувствовать себя мужчиной и не покупать любовь женщины. Во-вторых, он достаточно брезглив, и его волнуют интеллектуальные, начитанные, достаточно развитые дамы из среднего и высшего класса, а не шалашовки, стоящие на самой низкой ступени социальной лестницы. Хотя разве можно так говорить? Их спектр деятельности как раз очень широк. Проститутку можно встретить и у высокопоставленного чиновника в постели, и рядом с бомжом на улице. Но Вениамину все равно хочется иного. Нормальной женщины, не испорченной порочными связями, не блудницы, убийство которой не вызовет ничего, кроме раздражения. На Джека-потрошителя он, конечно, не похож, но и на Чикатило не тянет. Тот выходил на охоту, готовый напасть на первую встречную, на самую слабую, которая виделась ему в качестве жертвы. Сейчас даже страшно вспомнить, что именно он с ними делал. Это был настоящий садист. Конечно, его нельзя сравнивать с Вениамином. Тот даже стелет простыни, старается доставить удовольствие женщинам и убивает их максимально безболезненным способом, без крови.

Это просто оправдание, подумал Вениамин. Иногда в нем просыпался совсем другой человек — саркастический обвинитель, безжалостный, холодный, неуступчивый. Он говорил ему все то, что мог бы сказать настоящий обвинитель на судебном процессе, и был гораздо страшнее любого обвинителя, так как сидел внутри и все видел, все знал, все помнил. Укрыться от его выпадов было невозможно, так же, как спорить с ним.

Там, внутри, сидел еще один человек, чаще всего прикрывавший остальных, — достаточно интеллигентный, начитанный специалист, вежливый руководитель, образованный директор института, ровный в общении со всеми сотрудниками и галантно относившийся к женщинам. Именно он выступал на передний план, заманивая свои жертвы в расставленные ловушки. Такому человеку женщины, безусловно, верили.

Но был еще и третий. Тот самый, чей облик проявлялся лишь тогда, когда он выходил на охоту, расстилал простыню, лишь когда жертва начинала дергаться в его руках. Это был не просто насильник, а насильник со своей идеологией, получающий удовольствие не только от самого процесса насилия, но даже от подробного планирования. Агрессивный, сильный мерзавец, который не верил ни в Бога, ни в дьявола, душа которого была вывернута наизнанку. Страдания других людей доставляли ему удовольствие, крики и плач возбуждали его, предсмертные конвульсии делали его счастливым. Этот мерзавец никогда не думал о людях, остающихся на земле после его нападений, о родителях и детях своих жертв, о десятках людей, близких и родных, страдавших и переживавших всю оставшуюся жизнь. Он думал только о себе, об удовлетворении своей пагубной страсти.

Самое поразительное, что все эти три ипостаси были продолжением друг друга, чертами его противоречивого характера. И он это понимал. Даже узнав о создании группы экспертов, даже прочитав заметку о самом себе, он уже не мог остановиться. Но его противостояние с экспертами выходило на финишную прямую. Нельзя все время безнаказанно убивать. Если люди не могут остановить чудовище, творящее столь нечестивые дела, тогда в дело вмешивается Его Величество Случай. Или Бог, для тех, кто верит в Него.

«Неужели я осмелюсь ему написать, — подумал Вениамин. — А почему бы и нет? Он наверняка получает десятки подобных писем, и найти адресата практически невозможно. Кто сейчас вспомнит, что в прошлом году на курсах повышения квалификации один провинциальный прокурор дал своему коллеге из другой провинции этот адрес?» Нужно будет подумать, решил Вениамин, чувствуя нарастающий болезненный страх. И вместе с тем он уже знал, как именно поступит.

ГЛАВА 13

В Курган Дронго прибыл в шестом часу утра, уставший, невыспавшийся, небритый, помятый. Устроившись в гостинице, он прежде всего принял горячий душ, побрился, позавтракал. Судя по всему, в передвижениях убийцы учитывается и состояние поездов, курсирующих по этому маршруту. Если не заказывать билет заранее, придется ездить с незнакомыми попутчиками, которые иногда бывают достаточно назойливыми. Не говоря уже о том, что спать в подобном купе просто невозможно, хотя бы из опасения за свои личные вещи, ведь никогда не знаешь точно, кто именно окажется рядом с тобой в эту ночь. Сам Дронго почти никогда не спал в присутствии чужих людей. Он мог в лучшем случае дремать, чутко прислушиваясь к звукам вокруг него. Но даже когда засыпал, сон был настолько чутким, что он просыпался от малейшего шума. Мать всегда смеялась, что у него «сон волка». Он реагировал на любой шорох, на любое присутствие постороннего человека, даже когда в комнату входили родители.

Может, поэтому Дронго почти никогда не оставался у незнакомых женщин, не позволяя себе расслабляться, а предпочитал лишь короткие свидания. Даже приезжая к Джил, он ночевал в собственной спальне в одиночестве. Она знала эту его странную особенность, хотя в первые годы обижалась на подобное поведение.

Дронго спустился к завтраку в половине восьмого утра и уже заканчивал есть, когда в ресторане появились Гуртуев и Резунов. Оба прошли к его столу.

— У вас усталый вид, — заметил Казбек Измайлович. — Сложно добирались?

— С пересадками, прямого поезда на Курган не было. Наш интеллектуальный убийца, очевидно, заранее планирует свои маршруты.

— Интеллектуальный убийца, — недовольно повторил Резунов, — это какой-то нонсенс. Убийца не может быть интеллектуалом, он для этого слишком жесток и бессердечен. В следующий раз появится интеллигентный убийца?

— Нет, — возразил Гуртуев. — Интеллигентность не зависит от уровня образования или ума. Это не только воспитание, а образ жизни, внутренние установки. Убийца может быть интеллектуалом, таких примеров сколько угодно. По большому счету, все великие физики, работавшие с ядерными программами, могли считаться убийцами. Во всяком случае, те, чьи бомбы сбросили на Хиросиму и Нагасаки. Сколько людей там погибло! Только не говорите, что была война и американцы защищали свое отечество. Конечно, защищали, и, конечно, была война. Но интеллект ученых был направлен на создание смертоносного оружия.

— Это совсем другое, — отмахнулся Резунов. — Они все-таки не насиловали и не убивали. Чем больше мы ездим по стране, чем больше занимаемся этим делом, тем больше я убеждаюсь, что этот сукин сын просто ненормальный психопат.

— В данном случае вынужден с вами не согласиться, — парировал Казбек Измайлович. — Конечно, у него очень серьезные отклонения в психологическом плане, очень занижена требовательность к себе и завышена самооценка. Возможно, он даже не считает свои преступления ужасными. Но, судя по тому, как он их осуществляет и готовит, мы имеем дело с очень умным и достаточно интеллектуальным убийцей, как бы сильно вас ни шокировало упоминание об интеллекте.

— Книга Камерона, — вспомнил Дронго. — Человек с обычным высшим образованием не мог знать о ее существовании. Возможно, преступник имеет отношение к архитектуре или строительству.

— Верно, — согласился Гуртуев. — Это нужно проверить. Затем — его встречи. Обратите внимание, что он выбирает женщин достаточно независимых, состоявшихся, успешных. Здесь тоже срабатывает его подсознание. Он получает очевидное удовольствие от унижения таких женщин. Иначе он мог бы убивать обычных проституток. Но ему важен социальный статус своих жертв.

— В Челябинске была несколько иная ситуация, — заметил Дронго. — Сотрудники милиции скрыли от нас важный факт — у погибшей были неприятности с мужем, который имел внебрачного сына от одной из своих сотрудниц. Жена даже уходила из дома, но через некоторое время они помирились. Он — типичный карьерист и хорошо понимал, что ему нужны связи его супруги. Может, даже по-своему любил ее.

— Это вряд ли, — покачал головой Резунов. — Если бы любил, не изменял.

— Теперь я не соглашусь с вами, — улыбнулся Дронго, — хотя, если бы в нашей компании оказались женщины, они сейчас разорвали бы меня на куски за мои слова. Дело в том, что мужчина может искренне любить свою женщину и при этом иметь связи на стороне. Вы же знаете, мужчины — особые существа.

— Так можно оправдать любую безнравственность, — строго заметил полковник.

— Не безнравственность, — вмешался Гуртуев. — Есть мужчины, которые даже лечатся от сексуальной зависимости. Это тоже часть устоявшегося образа жизни. Я даже думаю, что наш уважаемый друг и известный эксперт так убежденно говорил об этом именно потому, что имеет в виду и собственный опыт. Разве я не прав?

— Трудно спорить с лучшим психоаналитиком страны, — рассмеялся Дронго. — Полагаю, что вы правы. Я люблю свою семью, но иногда позволяю себе увлечения на стороне. Возможно, я не очень прав, но — простите меня, полковник, — не считаю эти увлечения таким уж ужасным грехом.

— А некоторые считают, — кивнул Гуртуев. — Вот вам разность подходов к одной проблеме. Возможно, наш уважаемый Виктор Андреевич думает несколько иначе. Но вы оба находитесь в нише социальных и правовых требований к индивидууму. Если господин Дронго считает, что мужчина имеет право на подобные шалости, его шкала ценностей несколько отличается от вашей, господин полковник. Кстати, насчет полигамности мужчин он прав. Во всяком случае, я в молодости тоже не был ангелом, хотя живу со своей супругой уже больше сорока лет.

Все трое мужчин улыбнулись.

— Сейчас проведем небольшой эксперимент, — предложил Дронго. — Скажите, господин полковник, только откровенно, сколько лет вы женаты?

— Восемнадцать, — ответил Резунов.

— И вы ни разу не изменяли своей супруге? Только откровенно.

Полковник отвернулся. Дронго терпеливо ждал.

— Два раза, — сильно покраснев, ответил наконец Резунов. — Но это было давно.

— Вот видите? А ваша супруга наверняка вам не изменяла. Это к вопросу о полигамности мужчин, — улыбнулся Дронго.

— Может, мы еще пожалеем нашего убийцу, который просто ищет приключений на стороне? — разозлился Резунов.

— Нет, — возразил Гуртуев, — он не ищет приключений. Он ищет новые жертвы. Вы знаете, о чем я подумал. Судя по всему, тело, найденное в заброшенном цеху, и есть Лилия Сурсанова, которую мы искали. Но предварительная экспертиза показала, что она не была изнасилована, ее только задушили. Если этот невероятный факт подтвердится, значит, мы имеем дело с сексуальными отклонениями нашего «знакомого». Он совершает убийства именно на этой почве, что, собственно, и следовало доказать. И не всегда у него получается. Возможно, здесь, в Кургане, у него как раз не получилось. Повторяю, если это подтвердится, мы получим самые убедительные доказательства его сексуального расстройства.

— А если это вообще не он? — поинтересовался Резунов.

— Женщину нашли раздетой и задушенной, — напомнил профессор. — И не забывайте, что она даже внешне похожа на остальные жертвы: возраст, внешность, манеры, поведение, способ нападения и сокрытия жертвы — все совпадает. Нужно дождаться сегодняшней экспертизы, и тогда мы будем знать наверняка.

— Мы узнаем, что этот подонок страдает сексуальными расстройствами. А это было ясно и до того, как мы сюда приехали, — недовольно произнес Резунов. — Что нам это дает?

— Доказательства его несостоятельности. Нам легче будет искать его. Кроме того, становятся понятны мотивы его преступлений.

В зал ресторана вошел Шатилов. Он был в штатском. Подойдя к их столику, полковник поздоровался и уселся рядом с ними.

— Из Челябинска приедут патологоанатомы, — сообщил он. — Комплексную экспертизу назначили на десять утра. Но сомнений никаких нет — это Сурсанова. Ее опознали по обручальному кольцу, там было даже выгравировано ее имя. Понятно, что это не грабитель — он не снял с нее даже сережки, достаточно дорогие.

— Вот видите, — кивнул Гуртуев. — У него был конкретный интерес, который он не смог реализовать.

— Там вчера был ее муж, — глухо продолжал Шатилов, — на опознании. Ему стало плохо, и его увезли в больницу. Сколько страданий этот убийца причиняет людям! Откуда только такие берутся?

— Из детства, — ответил Гуртуев. — Должен произойти психологический сбой, затем на него накладывается его судьба, и мы имеем вот такого монстра. При этом наш убийца — явление достаточно уникальное. Это не человек из низов, который нападает на случайных, проходящих мимо женщин. Он умеет их очаровать, заставить поверить в себя, прийти на встречу, довериться ему. А это не так просто, как мы думаем. Замужняя женщина не всегда готова пойти на встречу с незнакомым мужчиной, даже если тот пообещает ей редкую книгу Камерона. Он пользуется их слабостями и внушает им доверие. У нас еще не было убийцы подобного типа. Серийного убийцы. Это новый преступник двадцать первого века, который рано или поздно должен был появиться.

— Лучше бы не появлялся, — пробормотал Шатилов. — Мы взяли вам билеты в Астану, только там вы будете завтра утром. Можно было полететь на самолете, но отсюда они в Астану не летают.

— Поедем на поезде, — решил Гуртуев. — Только нам желательно в одном купе, чтобы не было посторонних.

— Мы так и сделали, — ответил Шатилов. — Честно говоря, даже не думали проверять в этих цехах. Все знали, что они заброшены и закрыты. А убийца, оказывается, подобрал ключ от заднего входа. Эксперты там уже поработали. Просто нужно было, чтобы приехали именно вы, не местные. Мы все точно знали, что туда нельзя соваться, а вы этого не знали. И убийца, видимо, не знал, поэтому туда и полез. Там оборудование старое, может сорваться в любую секунду и раздавить человека. Очень опасно.

— И он этого не знал, — кивнул Резунов. — Все правильно. Значит, не местный. Когда у нас поезд?

— Через три часа. Результаты экспертизы будут готовы к двум часам дня. Я позвоню и сообщу вам о них. А потом перешлем все материалы в Москву.

— Хорошо, — согласился Резунов. — С кем остались ее мальчики?

— Дарина Эдуардовна забрала их к себе. — Шатилов отвернулся. — Там вчера такой ор стоял! Все женщины-соседки плакали, когда узнали об убийстве Сурсановой. И нас ругали. Тяжело это все. У нас таких преступлений давно уже не было. Придурков, конечно, хватает, но чтобы такое... — У него от волнения задергалась левая щека.

— Мы его найдем, — пообещал Резунов. — Мы его обязательно найдем, это я тебе обещаю.

— Найдите, — кивнул Шатилов, — а потом позвони мне, чтобы я приехал. Только не забудь позвонить. И тогда я тебе обещаю, что этот гнида до суда не доживет. Я его лично пристрелю как собаку, как тварь, которая не имеет права ходить по нашей земле. Пусть меня потом под суд отдают. После вчерашней сцены мне все равно. Ты бы видел глаза ее мальчиков, — сжал он кулаки.

— Нельзя так, — убежденно проговорил Резунов. — Ты же не новичок, мы с тобой всякого навидались...

— Ты сегодня уедешь, а мне с ними жить, — напомнил Шатилов. — Знаешь, Витя, я ведь всегда гордился своей работой. И сейчас хочу гордиться. Только вчера они не убийцу проклинали, а нас с тобой. За то, что мы ее защитить не смогли. За то, что этого убийцу до сих пор не нашли. И я не знал, что им отвечать. — Он тяжело вздохнул.

Все молчали. Шатилов был прав. Когда горит дом, люди вспоминают о пожарных; когда болит сердце, вызывают врачей «Скорой помощи»; когда происходит подобная трагедия, требуют у милиции оперативного вмешательства. В обычное время никто эти службы не вспоминает.

Через три часа они выехали в Казахстан. У всех было подавленное, мрачное настроение. Каждый понимал меру своей ответственности. Уже когда они сидели в купе поезда, полковнику Резунову позвонил генерал Шаповалов.

— Судя по вашему донесению, преступление в Кургане тоже на совести этого убийцы? — спросил он.

— Да, — доложил Резунов, — в этом нет никаких сомнений. Нашли обручальное кольцо с ее инициалами. Убийца оставил и дорогие сережки, которые были на ней.

— Значит, уже четвертый случай, — не скрывая своего раздражения, напомнил генерал, — Павловск, Курган, Уфа, Челябинск.

Я не считаю его возможных преступлений в других республиках. Сколько он еще должен убить женщин, чтобы вы наконец его остановили?

Резунов молчал. Гуртуев и Дронго, понимая, о чем идет речь, могли только ему посочувствовать.

— Если вам нужна помощь, скажите. Я готов прислать группу наших криминалистов, — продолжал генерал, — но найдите его наконец.

— Мы считаем, что он не живет в городах, где совершены эти преступления, — сказал Резунов, — он скорее гастролер. Убивает и исчезает из города.

— Понятно, что он не может жить сразу в четырех городах, — недовольно заметил генерал. — Это все, что вы сумели понять за столько дней?

— У нас уже есть определенные наметки, — выдохнул полковник. Он не хотел лгать, а говорить более определенно пока не мог.

— Какие наметки? — разозлился Шаповалов. — Нужно искать убийцу. Серийного маньяка. Он обнаглел до такой степени, что убил в Челябинске супругу вице-губернатора. В следующий раз убьет жену депутата или министра. Вы этого ждете? Это неуправляемый сукин сын, которого нужно остановить.

— В Челябинске нашли проводника, который сможет дать описание его внешности, — выдохнул Резунов.

— Значит, они там работают лучше вас.

— В Кургане сейчас идет комплексная экспертиза с участием приглашенных патологоанатомов. Результаты будут готовы к вечеру.

— Это все делают местные сотрудники милиции, а вы сами должны двигаться. Мы дали вам в помощь двух самых лучших экспертов. Гуртуев считается лучшим психоаналитиком, а Дронго — признанный международный специалист по преступности. Если вы втроем не можете ничего сделать, мы пошлем наших криминалистов, которые наверняка добьются бо́льших успехов.

Резунов молчал, понимая, что генерал прав.

— И еще, — добавил Шаповалов. — Почитайте вчерашнюю прессу. Корреспондент

центральной газеты был в Челябинске и
Уфе. Наверное, послали из-за этой шумихи с
женой вице-губернатора. Там такие факты,
что уже наш министр интересуется, чем именно вы занимаетесь в своих командировках,
летая бизнес-классом по всей стране. И про
вас троих тоже написали. Хорошо еще, что не
ругают, как всех нас.

Очевидно, звонок министра был последней каплей, переполнившей чашу терпения
генерала. Да и сама статья, в которой расска-
зывалось о трех известных сыщиках, брошен-
ных на поиски неведомого маньяка, была явно лишней именно сейчас, когда они пытались вычислить убийцу. Шаповалов понимал,
как важно дать людям спокойно работать. Но
после появления статьи и звонка министра
внутренних дел он уже не мог позволить им
и дальше продолжать свои командировки.
Теперь нужно было предъявлять обществу и
руководству хоть какие-то результаты.

— В общем, завтра из Астаны летите сразу
в Москву, — приказал Шаповалов. — Больше
никаких командировок, никаких разъездов.

Если не можете ничего сделать, так и доложите, мы поручим это дело другим людям.

— Вы же понимаете, насколько это сложно...

— Я все понимаю, только наш министр не хочет понимать. Его тоже наверняка спрашивают: куда смотрит милиция? Почему серийный маньяк разгуливает на свободе и безнаказанно убивает женщин, а мы ничего не можем сделать? И еще эта ненужная статья... Теперь все равно не дадут спокойно работать, будут требовать результатов расследования. И как можно быстрее. — Генерал отключился, не попрощавшись.

Резунов положил свой мобильник на стол, печально взглянул на своих соседей и пробормотал:

— Он недоволен, и его можно понять.

— Он должен понимать, что это непростая задача, — мрачно сказал Гуртуев. — Сколько лет Чикатило искали? И сколько убитых людей на его счету?

— Только не говорите об этом генералу, — попросил Резунов, — иначе он скажет, что мы готовы ждать, пока счет этого убийцы не дойдет до числа жертв Чикатило.

— Позвоните подполковнику Мякишеву в Челябинск, — предложил Дронго. — Со мной он уже не станет разговаривать, а вам наверняка доложит последние новости.

Резунов потянулся к своему телефону, набрал номер Мякишева.

— Здравствуй, Мякишев. Что у вас нового?

— Опять приезжал этот ваш эксперт, — раздраженно сообщил подполковник. — Напрасно вы разрешаете ему такие вольности. Он снова полез в областную администрацию, вывел из равновесия вице-губернатора, устроил скандал в нашем УВД, потревожил отца погибшей в больнице.

— Я все знаю, — сказал Резунов. — Он пытается как-то помочь нам в расследовании этих убийств. Не забывай, что он не обязан это делать, в отличие от нас с тобой.

— Тогда пусть не мешает.

— Что у вас с проводником? — не обращая внимания на его слова, спросил Резунов.

— Мы его нашли и допросили, — сообщил Мякишев. — Проводник вспомнил человека, который в этот день прибыл в Челябинск из Екатеринбурга. Он пил из своего стакана и все время протирал руки спиртом, поэтому проводник его и запомнил. Сейчас мы составляем примерный фоторобот, скоро вышлем его вам.

— Высылайте сразу в Москву, — предложил Резунов и отключился. Затем задумчиво проговорил, ни на кого не глядя: — Он прибыл из Екатеринбурга, там у нас еще ничего не происходило. Кажется, вы говорили, Казбек Измайлович, что нужно в первую очередь проверять Свердловскую область и Пермский край?

— Искать в них возможного убийцу, — согласился Гуртуев. — И чем больше мы соберем информации об этом типе, тем легче будет его найти.

— Он должен находиться в крупном городе, — начал размышлять Дронго. — Судя по его перемещениям, он достаточно обеспеченный человек. Из маленького городка не смог бы все время так незаметно отлучаться. И там нет таких денег. Он достаточно независимый, раз уезжает, когда и куда захочет. Возможно, бизнесмен или руководитель предприятия.

— Тогда скорее бизнесмен, — предположил

Резунов. — Руководитель предприятия себя сразу выдал бы. Сотрудники быстро обратили бы внимание на его отлучки.

— Не обязательно, — возразил Дронго. — Не забывайте, что Чикатило имел даже семью, жену, сына, ходил на работу и не вызывал подозрения ни у коллег, ни у соседей.

— Одежда, — напомнил Гуртуев. — Он должен быть хорошо одетым, чтобы произвести впечатление на супругу вице-губернатора или заведующую лабораторией.

— В Кургане он выдавал себя за эколога, — вставил Дронго, — а в Павловске говорил об архитектуре и обещал привезти очень редкую книгу Камерона. Я все-таки думаю, что он имеет какое-то отношение к архитектуре. Или к книгоизданию.

— Возможно, вы правы, — согласился Гуртуев. — Тогда у нас остаются три крупных города — Екатеринбург, Пермь и Ижевск. Три крупных города, каждый из которых может быть местом его обитания. И еще один важный фактор — он совершил похожие преступления в Харькове и Астане. Значит, сначала опасался действовать на территории собственной страны. Он достаточно осторожен и умен, чтобы начать с других республик, где его очень сложно найти. Если подтвердится случай в Астане, это значит, что он сначала практиковал подобные нападения в других республиках, а затем...

— Перешел на другие города, — закончил за него Дронго.

— Все правильно, — согласился Гуртуев, — тогда все сходится. Как звали убитую в Астане женщину?

— Оксана Скаловская, — сказал Резунов.

— Когда она родилась?

— Восьмого июля.

— Летом, — задумался Гуртуев. — Если все правильно, она должна быть натурой достаточно романтичной, готовой на любовное приключение.

— Опять вы за свою теорию, — улыбнулся Резунов. — Неужели вы действительно думаете, что по имени или месту рождения можно что-то вычислить?

Вместо ответа профессор достал из своего чемодана большую красную книгу.

— Книга Хигира, называется «Тайна имени и отчества». Давайте найдем имя «Оксана» и поищем ее среди родившихся летом. Вот, пожалуйста: «Сентиментальный романтик с переменчивым настроением. Испытывает острую необходимость в друзьях. Близко к сердцу принимает чужое горе. Может расчувствоваться по поводу прочитанной книги или просмотренного фильма... Ко всем вопросам подходит серьезно, однако может вдруг пуститься сломя голову в любовное приключение, которое, скорее всего, принесет ей одни разочарования... Склонна к идеализации, но проявления цинизма, корысти или жестокости со стороны окружающих постепенно разрушают ее представление об идеале. В некоторой степени закомплексована, не уверена в себе, болезненно переживает критику». — Он закрыл книгу. — Достаточно?

— И вы, серьезный ученый, верите в подобные вещи? — удивился Резунов. — Неужели все «летние» Оксаны именно такие?

— Не все, конечно. Но есть схожие черты, как обычно бывает у людей, родившихся под одним знаком Зодиака. Это не астрология и не шарлатанство. Человек совершает свои поступки еще и под влиянием собственного зодиакального знака. И чем больше он о нем читает, тем больше попадает от него в зависимость. Тем более что уже доказана разница между людьми, родившимися в разное время года. Это зависит и от влияния солнца, питания матери, проживания в конкретной местности и даже имени. Ведь если человека называют Александром, он не может не знать о прежних подвигах других Александров, а если Виктором, как вас, он с детства знает, что это имя победителя.

— В таком случае как вы объясните, что мой день рождения совпадает с днем рождения бывшего президента Украины Виктора Андреевича Ющенко, с которым у нас одинаковые имена и отчества? — поинтересовался Резунов.

— Значит, у вас могут быть общие черты, — ответил Гуртуев. — Давайте посмотрим, что написано про таких, как вы. Вот, пожалуйста — Викторы Андреевичи. «Он не мечтатель, ему по душе что-то конкретное, осязаемое. Без тени сомнения верит всему, что ему говорят, и лишь позже, подумав и поняв, что его обманули, сильно огорчается. К счастью, не злопамятен. Будет прекрасно себя чувствовать в тех сферах деятельности, где нет места мечтаниям и долгим раздумьям... Во всем ищет справедливость, и если близкий ему человек совершил нехороший поступок, будет долго увещевать его, взывая к совести, благоразумию... Добросовестен, нетороплив, с большим терпением занимается кропотливым трудом». Похоже? Там есть еще и о вашей семейной жизни.

— И каким образом мы похожи с бывшим президентом?

— Похожа лишь характеристика. В общих чертах. Просто тот действовал в других условиях, попав под пресс своих политических противников, и не сумел им противостоять, преданный и своими сторонниками в том числе. Я ведь обратил внимание, как вы разговаривали с генералом Шаповаловым. Лгать вы не могли, а передавать благостные сообщения просто не хотели, пока нет конкретного результата. Вы человек конкретный, очень обязательный и дисциплинированный. И вместе с тем вы не политик, не обижайтесь на меня. Вы именно исполнитель, добросовестный и трудолюбивый. Очевидно, и ваш тезка был таким. Пока работал под руководством других политиков, он был на своем месте; когда же выдвинулся на первые роли, начал фальшивить.

— Понятно, — кивнул Резунов, — министром мне никогда не быть.

— Зато будете прекрасным заместителем, — в тон ему ответил улыбнувшийся Гуртуев. — Не каждый человек должен стремиться к вершине власти. Есть люди, которые являются идеальными исполнителями, даже работая на самых высоких должностях. А быть руководителем им просто не дано, в силу их психотипов. Но разве кто-нибудь советуется с психоаналитиками в таких вопросах?

— Я возьму у вас эту книгу и буду вычислять людей по их именам и датам рождения, — засмеялся Резунов.

— И допустите большую ошибку, — возразил Гуртуев. — Это ведь только в качестве возможной теории, а в жизни все гораздо сложнее.

— Позвоните в Курган, — вмешался в разговор Дронго, — уже два часа дня.

Резунов снова взял мобильник.

— Женя, здравствуй, — начал он, услышав голос полковника Шатилова. — Эксперты закончили работу?

— Да. Все закончили. Ее не изнасиловали. Он ее раздел, но только задушил, хотя характерные следы имеются, очевидно, пытался, но не получилось. Мы нашли и ее одежду. В общем, все, как я тебе говорил.

— Понятно. — Резунов отключился и передал сообщение своим коллегам.

— Значит, это был он, — понял Гуртуев, — и, видимо, у него серьезные психические расстройства именно в сексуальном плане. Возможно, на этой почве он и стал подобным убийцей. Его возбуждает сам факт насилия, само обладание жертвой. Я предлагаю сразу из Астаны вернуться в Москву. Нам нужно провести серьезную работу по поискам этого маньяка и вычислить его раньше, чем он найдет следующую жертву.

— Если он действует в чужих городах, то следующими могут стать Омск и Тюмень, находящиеся на пути его маршрутов, — предположил Дронго, — если, конечно, он уже не нашел себе подходящую жертву в другом месте. Ведь Павловск рядом с Санкт-Петербургом... — он неожиданно замолчал, словно только сейчас понял, что именно сказал, затем продолжил: — У нас будет очень нелегкая работа, но я думаю, что мы обязаны ее сделать. В конце концов, для этого существуют мощные компьютеры. Он не поехал бы в Санкт-Петербург на поезде, слишком далеко и неудобно. А за несколько дней его могли бы запомнить. Значит, в этом случае он летел самолетом. Но наверняка его первая встреча с Богуславской была лишь предварительным знакомством. Если мы правильно все рассчитали, он приезжал в Санкт-Петербург на поезде и так же уезжал с Московского вокзала. Ведь именно оттуда был звонок на ее мобильный. Убийца сделал все, чтобы нас запутать, и этим невольно выдал себя.

— Вы считаете, что мы должны проверить всех возможных пассажиров, покупавших билеты на Санкт-Петербург? — удивился Резунов. — Но на поездах не всегда проверяют паспорта.

— Именно на это он и рассчитывает. Но если этот человек достаточно состоятельный, он должен где-то работать, чтобы иметь возможность подобных перемещений. А отлучаться на долгое время он не может. Значит, он прилетел самолетом в Москву, пересел на поезд, идущий в Санкт-Петербург, и так же вернулся обратно к себе в город после убийства. А это значит, что нам нужно проверить все самолеты, которые прибыли в Москву с Урала именно в эти несколько дней, когда было совершено убийство Мирры Богуславской, — закончил Дронго.

Наступило молчание, которое прервал Резунов.

— Вы представляете, какая это работа? Нам придется затребовать все билеты на все рейсы. Это просто невозможно. И самое главное, я не совсем понял, как именно вы вычислите убийцу. Ведь с Урала могли прилететь несколько тысяч мужчин. А если он прилетел из другого региона?

— Он и так делает все, чтобы нас запутать, а две пересадки наверняка не прошли бы. Не хватило бы времени, — пояснил Дронго.

— Но как вы узнаете, что это именно он?

— Обратный билет, — улыбнулся Дронго. — Он должен обязательно вернуться обратно как можно быстрее. Мы проверим всех, кто прилетал в Москву только на два или три дня и кто заранее бронировал билеты в обе стороны.

Резунов ошеломленно взглянул на Гуртуева. Тот улыбнулся.

— Наш случай говорит, что одна голова — хорошо, две — очень хорошо, а три — совсем хорошо. Полагаю, коллеги, что нам нужно действительно проверить все возможные рейсы.

— Я позвоню в Москву, чтобы нам заказали билеты в Астане, — решил Резунов, — на завтрашний вечер.

ГЛАВА 14

В Астану поезд прибыл с некоторым опозданием из-за задержки на границе. На самом деле российско-казахстанская граница является самой протяженной и неохраняемой в мире. Никто не мог даже предположить, что эта огромная, часто безлюдная территория когда-нибудь станет рубежом двух суверенных государств — России и Казахстана. Даже в Средние века племена, жившие в этих местах, передвигались безо всяких ограничений, а уже начиная с конца шестнадцатого века здесь селились русские поселенцы. Конечно, пересматривать границы было невозможно, и многие северные области Казахстана, населенные русскими, украинцами, потомками казаков, просто отошли

247

к другому государству. Нужно отдать должное и лидеру Казахстана, и его народу. Здесь не только сохранили русский язык в качестве средства межнационального общения, но и смогли создать достаточно комфортную обстановку для своих соотечественников.

В Астане группу экспертов встречал руководитель управления Министерства внутренних дел республики полковник Исмагулов. Это был высокий грузный мужчина с крупными чертами лица, густыми черными усами, почти сросшимися бровями и коротко стриженными волосами. Он был в костюме, несмотря на достаточно прохладную погоду. У вокзала стояли сразу два автомобиля. Исмагулов предложил гостям отправиться в гостиницу, но эксперты попросили сразу отвезти их в Министерство, куда уже были вызваны сотрудники, занимавшиеся расследованием преступления, происшедшего два с половиной года назад. За столом сидели двое мужчин. Один, с характерной азиатской внешностью, был в штатском, а второй — в прокурорский форме, скорее всего русский.

Исмагулов коротко представил гостей. Затем показал на сотрудников, сидевших за столом.

— Прокурор Лященко, он тогда был следователем по особо важным делам и занимался расследованием убийства Оксаны Скаловской. И полковник Табылдаев, сейчас работает в администрации президента республики, а тогда был заместителем начальника уголовного розыска города.

— У вас есть материалы расследования? — спросил Резунов.

— Папки лежат перед вами, — показал Исмагулов.

Уже в первой папке находились характерные фотографии. Резунов при виде их поморщился, Дронго нахмурился, а Гуртуев, напротив, с интересом начал рассматривать все фотографии.

— Это он, — убежденно проговорил он через некоторое время. — Знакомый почерк. Он ее связывал?

— Да, — ответил Лященко, — на руках остались характерные следы.

— Сломал шейные позвонки?

— Он ее задушил, — подтвердил прокурор.

— Изнасиловал?

— Не совсем.

Все трое гостей одновременно подняли головы.

— У него не получилось? — спросил Казбек Измайлович.

— Получилось, — вздохнул Лященко, посмотрев на своих коллег. Он прожил последние двадцать пять лет в Казахстане и усвоил местную восточную этику. Некоторые подробности даже прокуроры и следователи старались не произносить вслух. — Там все написано.

Гуртуев перелистал протоколы экспертизы.

— У нее в этот день были месячные, — понял он.

— Да, — ответил прокурор, — убийца применил грубое насилие в извращенной форме. — Он все еще не хотел называть вещи своими именами. Или не мог. На восточных языках подобные вещи в переводе звучали достаточно скабрезно.

— Вот видите, — стукнул кулаком по столу Гуртуев, — у этого типа явные психологические отклонения в сочетании с сексуальными проблемами. Он просто не может иначе. Когда нашли тело?

— На следующий день после убийства, — сообщил Табылдаев, — я сам был на месте происшествия. У нас тогда в городе подобных вещей еще не случалось. Мы всех подняли на ноги, прочесали городские кварталы, стройки, проверили всех приехавших строителей. Двоих даже отправили обратно домой. Сначала задержали на несколько дней, проверили, а потом депортировали. Одного допрашивали особенно интенсивно — у него была третья отрицательная группа крови.

— Как у насильника, — заметил Гуртуев.

— Мы были уверены, что убийца — кто-то из приехавших гостей, — продолжал Табылдаев, — но найти его так и не смогли.

— Проверяли все похожие случаи в других городах, — добавил Лященко. — Отправили запросы в ваше Министерство внутренних дел и в прокуратуру, подробно описали наш случай. Но не получили никакого отклика, никакого ответа.

Дронго взглянул на Резунова, тот молча

отвернулся. Казахстанские коллеги ответили в течение нескольких часов, а из Москвы ответа не было несколько месяцев. Очевидно, кто-то в высоких кабинетах решил, что подобное дикое происшествие может произойти только в южной республике и не характерно для жителей уральских и сибирских областей.

— Но наш сторож видел неизвестного человека, который уходил со стройки, — продолжал Лященко. — Высокого мужчину в очках, около сорока лет, с портфелем в руках. Сторож был уверен, что кто-то из руководства строительного треста приехал на стройку после работы. У мужчины был довольно ухоженный вид, никак не соответствующий обычному насильнику — скорее важному начальнику.

— Сторожа обычно сразу чувствуют руководство, — добавил Табылдаев. — Но тогда мы этого «руководителя» так и не нашли.

— Этот дом уже заселен? — поинтересовался Дронго.

— Еще в прошлом году. Хотя в квартиру, где произошло убийство, никто не хотел въезжать. Мы отдали ее иностранному специалисту, который приехал на работу в наш город. К счастью, он не очень суеверен.

— Тогда это была обычная стройка?

— Можно сказать и так, — ответил Лященко. — Дом был недостроен, но стеклопакеты в некоторых квартирах уж успели поставить.

— Они были в этой?

— Да. Вообще-то там должны всегда дежурить двое сторожей, но убийца и его жертва смогли каким-то образом пройти незамеченными; возможно, сумели обойти дом с другой стороны, хотя там тоже шло строительство.

— Он хорошо ориентируется в подобных местах и не боится, что его смогут найти, — задумчиво произнес Дронго. — Это уже не книга Камерона... И еще два заброшенных цеха. Нужно суметь сделать запасной ключ и не побояться войти в цех. Это не интеллект, это уже практический навык.

— Вы считаете, что жертва сама поднялась с ним наверх? — спросил Резунов.

— Уверены, что сама, — ответил Лященко. — Хотя обуви мы не нашли, но следы на нижних этажах остались. Они поднимались вдвоем достаточно спокойно. Она ему доверяла.

— Что он им говорит в таких случаях, — разозлился Резунов, — и почему все женщины такие доверчивые дуры, верят кому попало?

— Возможно, он сумел как-то убедить ее подняться наверх, — предположил Лященко.

— Сторож описал этого человека?

— Он не разглядел его лица. Только рост, очки, портфель или сумка в руках. Мы тогда проверили всех приехавших в наш город — иностранцев, местных, из стран СНГ, всех командированных. И никого не нашли, — ответил прокурор. Затем, помолчав немного, добавил: — Первый случай в моей практике, когда такое жестокое преступление осталось нераскрытым. Но я тогда был убежден, что это гастролер. И сейчас в этом убежден. Видимо, он успел отличиться и у вас, раз вы приехали к нам спустя два с половиной года после случившегося.

— Еще как «отличился», — ответил Резунов. — У нас уже несколько подобных случаев.

— Он очень опасен, — тихо продолжал прокурор. — Такого невозможно перевоспитать или исправить. Только хорошая пуля в голову при задержании, чтобы не мучить ни его, ни себя. А пожизненное заключение ему все равно не поможет. Такие убийцы неисправимы.

— Это нужно сказать нашим депутатам, когда они голосуют за отмену смертной казни, — не выдержал Резунов. — Хотя это не мое дело, — добавил он, немного поостыв.

— Судя по фотографиям, на руках остались характерные рубцы, — показал Гуртуев. — Значит, он связал ей руки, раздел и только потом задушил, применяя насилие.

— Наши эксперты тоже так считают, — ответил Лященко.

— Он достаточно сильный мужчина, — сказал Табылдаев. — Рост примерно метр восемьдесят, крепкие руки. Для нас это было такое невероятное и дикое преступление, тем более в новой столице. Мы отправляли его анализы даже в Австрию для более тщательной экспертизы. Они проверили всю цепочку ДНК и считают, что он перенес в молодости тяжелую венерическую болезнь, которую лечил с помощью сильных антибиотиков и других препаратов. Возможно, именно она сказалась на его образе жизни.

— Что и требовалось доказать, — заметил Гуртуев.

— Вы, очевидно, работаете в охране президента? — спросил Дронго у Табылдаева.

— Как вы догадались?

— Куда может перейти бывший оперативник с вашими физическими данными? А еще я видел, как вам разрешили войти в здание МВД со своим личным оружием. Я прав?

— Правы, — улыбнулся Табылдаев.

— Этот дом находится далеко от центра?

— Нет, почти в центре, с другой стороны площади. Примерно в нескольких километрах отсюда.

— Президентская трасса проходит далеко от этого места?

— Достаточно далеко. А почему вы спрашиваете?

— Вы же знаете, что на трассе обычно дежурят ваши переодетые сотрудники.

— Этот дом не имеет никакого отношения

чал возводиться за полгода или за год до этих событий. И строился по конкретному архитектурному плану, который есть у каждой строительной компании. Ваша задача — проверить всех приехавших гостей, безо всяких исключений, кто за период строительства дома мог побывать на стройплощадках этого объекта, и обратить особое внимание на командированных из России. Хотя он мог приехать и из Белоруссии или Узбекистана, теоретически не исключено. Или даже иметь иностранный паспорт. Поэтому я и прошу проверить всех без исключения.

— Вы представляете себе уровень затрат? — поинтересовался Лященко. — Это известная строительная компания, у нее связи по всему миру, клиенты, подрядчики, субподрядчики, зарубежные гости... Даже если мы сумеем составить такой список, как мы потом будем проверять? Высылать наших сотрудников в эти страны? Извините, но на это уйдет весь бюджет республиканской прокуратуры, и понадобится еще несколько миллионов. Это просто невозможно.

— В таком случае перешлите этот список

нам, в Москву, — предложил Дронго, — а мы сравним его с тем списком, который сделаем для себя по другим преступлениям. Например, у нас есть подозрение, что он приезжал в Санкт-Петербург на поезде, чтобы отвлечь наше внимание, тогда как сам летал в Москву на самолете и уже оттуда добирался с пересадками до места преступления. А затем сразу возвращался к себе в город. Если совпадут какие-то фамилии, значит, на этого человека мы должны обратить самое пристальное внимание.

— Какой он человек?! — возмущенно проговорил Лященко. — Он давно уже не человек. У погибшей мать осталась одна. Можете себе представить, в каком она была состоянии, когда мы попытались пригласить ее на опознание дочери? Она так и не смогла приехать. Вместо нее приехала подруга погибшей. Сейчас мать убитой женщины находится в больнице. В психиатрической, — уточнил прокурор. — Выходит, он совершил у нас не одно, а целых два убийства. И неизвестно, кому сделал больнее — своей жертве или ее матери.

— Это никогда не закончится, — горько произнес Резунов. — Все эти трагедии, все эти невероятные истории не закончатся до тех пор, пока мы его не найдем. Сколько времени вам нужно, чтобы составить список гостей вашей строительной компании за последние несколько лет?

— Неделя, — сказал Лященко, — или чуть меньше. Все сведения нужно тщательно проверить.

— Я дам вам в помощь наших людей, — решил Исмагулов. — Пусть они поработают с вашими следователями, опросят всех нынешних и бывших сотрудников компании. Нужно управиться быстрее, раз это так важно для российских коллег. Между прочим, бывший президент компании стал заместителем министра в нашем правительстве. Я ему позвоню, думаю, никаких особых проблем не будет. Постараемся сделать список как можно быстрее.

— Сделайте, — попросил Резунов, — и помните, что каждый день — это чья-то спасенная жизнь.

— А сейчас мы хотим пригласить вас на

обед, — добавил Исмагулов, — если вы не возражаете.

Гуртуев закрыл папку с фотографиями жертвы. После таких иллюстраций трудно будет есть, подумал Дронго. Но отказываться было неудобно. Он это хорошо знал.

— Когда у нас самолет в Москву? — поинтересовался Казбек Измайлович, обращаясь к Резунову.

— В пять часов вечера.

— Значит, время еще есть. — Гуртуев взглянул на Дронго и, словно понимая, о чем хочет попросить его коллега, неожиданно предложил: — Давайте сделаем немного иначе. Сначала поедем к тому дому и все осмотрим, а потом уже пообедаем.

— Хорошо, — согласился Исмагулов.

У Дронго зазвонил мобильник. Посмотрев на номер, он увидел, что звонит капитан Павленко из Челябинска, и быстро произнес, уже понимая, что произошло нечто чрезвычайно важное:

— Слушаю.

— Здравствуйте, у меня остался номер вашего телефона, и поэтому я вам звоню...

— Что случилось? — нетерпеливо перебил Павленко эксперт.

— Мы составили фоторобот и показали его Кириллу Игоревичу. В общем, он узнал этого человека...

— Не может быть! — удивился Дронго.

— Ксения описала его в своем дневнике, — раздался в трубке голос Попова. Очевидно, он стоял рядом с Павленко и вырвал трубку из рук капитана. — Она описала его очень подробно. Высокий, красивый мужчина в очках. Его зовут Вадимом Тарасовичем. Он книгоиздатель. Алло, вы меня поняли?

— Понял, — глухо ответил Дронго, — именно поэтому я так настойчиво просил у вас этот дневник.

— Я его действительно уничтожил, — признался Попов. — Там было очень много личного. Я даже не предполагал, что она так переживала всю эту историю. Если бы раньше знал... Они познакомились в московском отеле «Националь», где она останавливалась в апреле этого года. Он пил там кофе.

— Какие конкретно числа?

— С двенадцатого по четырнадцатое. Тринадцатого они познакомились, у нее так и записано — тринадцатого апреля. А потом он еще один раз приезжал в Челябинск. Но между ними ничего не было, даже не могло быть, это абсолютно точно. Она считала его милым, интеллигентным человеком. Вы меня понимаете?

— Очевидно, он производил именно такое впечатление. — Дронго едва удержался, чтобы не добавить: «В отличие от вас».

— И еще, — торопливо продолжал Попов, — он сказал, что у него пожилая секретарша. Может, это вам тоже поможет.

— Когда они снова встретились?

— В конце мая. Она даже удивилась, что он приехал и сумел найти ее через родителей.

— Понятно. Спасибо, что вы все-таки решились мне это сообщить. Лучше поздно, чем никогда.

— Я ее любил! — несколько патетически воскликнул Попов. — И эту утрату буду переживать всю свою оставшуюся жизнь.

Очевидно, эти слова предназначались для Павленко и других офицеров милиции, которые могли находиться рядом. Дронго поморщился и быстро попрощался.

— Все наши прежние предположения подтверждаются, — сообщил он, закончив разговор. — Незнакомец везде представляется как Вадим Тарасович. Высокий, красивый, обаятельный, в очках. Судя по всему, деньги у него есть, если он посещает такой отель, как «Националь». И хороший вкус. Нужно проверить, возможно, он жил там в начале апреля. Он представился книгоиздателем, говорил, что у него пожилая секретарша. Скорее всего, так оно и есть, в деталях обычно не лгут.

— Почему же этот вице-губернатор столько времени молчал? — разозлился Резунов.

— Он прочел ее дневник и понял, какую травму нанес своей жене собственным поведением. Поэтому не хотел нам показывать дневник и уничтожил его.

— Машины ждут, — сообщил Исмагулов, и все вышли из кабинета.

ГЛАВА 15

Поздно вечером все трое прилетели в Москву. Дронго уже ждал водитель, который отвез его домой. Они договорились увидеться завтра утром в здании министерства у Резунова. Домой Дронго вошел, когда часы показывали первый час ночи. Он разделся на ходу, прошел в ванную комнату, встал под горячий душ...

...Конечно, посещение дома в Астане, где произошло убийство, было только формальностью. Спустя два с половиной года все неузнаваемо изменилось. После обеда их отвезли в аэропорт, в зал для официальных делегаций. Исмагулов лично провожал гостей.

— Мы сделаем список как можно быстрее, — пообещал он на прощание.

Обратно они летели довольно спокойно, пока на подлете к Москве не началась турбулентность. Капитан лайнера включил световое табло, извещавшее пассажиров о том, что им необходимо пристегнуться. Минут двадцать их довольно сильно трясло. Может, поэтому он приехал домой такой разбитый и уставший. А может, еще и потому, что события последних дней так сильно его потрясли.

Интересно, что в любом детективном романе речь идет о сыщике, убийце, жертве, свидетелях — как основных героях этого повествования. Но никто и никогда не пишет о родственниках жертв этих преступлений. Внешняя романтика, когда сыщик ищет убийцу, и суровая реальность, когда близкие люди теряют родного человека, когда трагедия входит в их жизнь и остается с ними навсегда незаживающей раной.

Человек смертен, он подсознательно готов к потерям близких, понимая, что ничего не вечно на этой земле. Но насильственное и неожиданное прерывание жизни причиняет ни с чем не сравнимую боль. Поэтому попала в психиатрическую больницу мать Оксаны

Скаловской, лежит в реанимации отец Ксении Поповой; получил сердечный приступ, а может, и инфаркт, муж Лилии Сурсановой. Страдают дети убитых женщин, их родители, их близкие и родные. А сам убийца в это время где-то ходит, живет, радуется жизни, считает себя достаточно умным и проницательным, насмехается над сыщиками, пытающимися найти его, и планирует новые несчастья, которые он готов принести в новые семьи.

Дронго вышел из ванной, надел халат и подошел к компьютеру. Вдруг включился автоответчик, и раздался знакомый голос друга и напарника Эдгара Вейдеманиса.

— Если можешь разговаривать, сними трубку, — попросил он.

Дронго устало поднял трубку.

— Добрый вечер, — обрадовался Эдгар. — Как ты себя чувствуешь?

— Не очень, — признался Дронго. — Эти поездки меня окончательно добили. Особенно сегодняшняя. Минут двадцать была такая болтанка, что лучше не вспоминать.

— А как с вашим расследованием?

— Пока ищем...

— Ты читал вчерашнюю газету? Там даже поместили твою старую фотографию. Интересно, где они ее нашли? На ней тебе лет на пятнадцать меньше.

— Ну и хорошо, не будут узнавать на улице, — пробормотал Дронго.

— Корреспондент пишет, что вся надежда на тебя, признанного международного эксперта, и профессора Гуртуева, лучшего психоаналитика страны. А вот милицейские чины ругает. Досталось всем — и генералу Шаповалову, и полковнику Резунову.

— Это нечестно, — возмутился Дронго. — Они достойно делают свое дело. Без них мы бы никогда и ничего не нашли.

— По-моему, опять хотят наехать на их министерство, — сообщил Вейдеманис. — Ты, наверное, слышал, скоро собираются переименовать милицию в полицию. И, конечно, нужно убрать старого министра и его команду. У них полным-полно проблем, а серийный маньяк появился как нельзя кстати. Тем более что посмел убить жену такого чиновника. Теперь ни один губернатор, ни один мэр города не может быть спокоен за свою семью.

— Глупости все это! Убийца действует очень избирательно и не нападает на каждую встречную. У него свой вкус, свой выбор, свой «синдром жертвы», как это называет профессор Гуртуев. На других женщин он просто не обращает внимания. Ему нужна та, которая вызывает у него приступы желания.

— Я могу чем-то помочь?

— Завтра посмотрим. Утром у нас совещание, после я тебе позвоню. До свидания.

— Спокойной ночи. Ложись и поспи, у тебя усталый голос, — посоветовал Вейдеманис.

Кажется, он прав. Надо немного отдохнуть. Проверить свою почту — и отправиться спать. Дронго включил компьютер, привычно нажал на клавиши. Четырнадцать полученных писем. Шесть можно сразу убрать; три из Италии, надо прочесть и сразу ответить — наверное, написала Джил или дети. Еще несколько каких-то сообщений... Кажется, письмо из банка... И последнее... Указано имя отправителя — «Неизвестный, который будет вам интересен». Наверное, спам. Или порнография. Можно не глядя удалить. Хотя... Интересно, кто автор. Женщины так обычно не пишут. И потом, почему «неизвестный»? Значит, мужчина. Если это сайт гомосексуалистов, вот будет весело. Нужно посмотреть. Он открыл письмо и прочитал: «Добрый вечер, господин Дронго. Вынужден обращаться к вам именно так, не зная вашего настоящего имени, которое вы много лет так усердно скрываете. Я прочел в газете статью о вашем расследовании, и мне захотелось написать вам. Насколько я понял, вы не просто эксперт по вопросам преступности, а настоящий «охотник за головами». Это, наверное, по-своему интересно. Азарт погони, когда вы хотите обязательно найти и поймать нужного вам человека... Но учтите, охота не всегда бывает успешной. Даже по статистике. Нельзя все время побеждать. Иногда и загнанный зверь нападает на охотников. Тогда исход бывает не очень ясен. Мне кажется, вы напрасно согласились помогать в последнем расследовании. Вы ведь специалист по международной преступности, разоблачали наркобаронов, политических деятелей, разных интернациональных аферистов. Зачем вам опускаться до уровня бытовых преступлений? Это не ваше, уважаемый эксперт. Или вы считаете иначе? В таком случае напишите мне, почему вы согласились на подобный эксперимент. Может, вам интересно проявить свои способности и в очередной раз продемонстрировать миру свое превосходство? Или вы просто не можете иначе существовать? А может, вам интересен сам процесс охоты? Или вам хорошо платят за соучастие в подобном расследовании? Заранее прошу меня простить, что осмелился вам написать и узнать ваше мнение. Неизвестный, который будет вам интересен».

Дронго дочитал это письмо до конца, затем снова вернулся к началу. Немного подумал и прочитал в третий раз. С одной стороны, глухая угроза — «охота не всегда бывает успешной». С другой — слово «соучастие». Не участие, а именно соучастие, словно они преступная банда, выслеживающая хорошего человека. Интересное письмо. Очень интересное. Отправитель указал свой адрес. Неужели действительно ждет ответа?

Дронго быстро застучал по клавиатуре компьютера. «Уважаемый неизвестный. Хорошо, что вы решились мне написать. Дело в том, что я никогда не чувствовал себя «охотником» и поэтому не понимаю, какой «охотничий азарт» может быть в данных расследованиях. Я не люблю и настоящую охоту, считая, что зверей нельзя убивать ради забавы. Но мои расследования просто необходимы нормальным людям, так как я избавляю мир от разного рода «хищников», мешающих остальным нормально жить. Я не чувствую себя соучастником этого процесса. Нет, я активный участник и делаю все, чтобы найти и разоблачить преступника, не дать ему возможности снова проявить свои порочные наклонности. Вы правы, я обычно занимаюсь международными расследованиями, и подобный серийный убийца — не совсем мой стиль. Но, с другой стороны, вам, очевидно, известно, что именно мне удалось выйти в свое время на одного из самых опасных преступников Европы, которого называли «Ангелом боли». Может, и в этот раз мне удастся найти и разоблачить убийцу, который причинил столько страдания людям, не сделавшим ему ничего плохого. Мне не платят за мое участие в этом расследовании. Разве что оплачивают билеты и гостиницы в городах, куда я направляюсь. И я не собираюсь демонстрировать кому-то свое превосходство. Я просто твердо убежден, что Бог сильнее Дьявола, как бы парадоксально это ни звучало в устах такого убежденного агностика, как я. И знаете, почему? Зло — самопожирающая субстанция. Оно поглощает энергию и поедает себя изнутри, совершая ошибки и просчеты, которые рано или поздно заставят убийцу себя выдать. Надеюсь, что вы меня правильно поймете».

Он перечитал письмо и отправил свой ответ по указанному адресу. Долго смотрел на компьютер, будто ждал немедленного ответа. Затем отправился спать. Укладываясь в кровать, он все еще думал об этом странном письме. Интересно, откуда неизвестный мог узнать адрес его электронной почты. И почему это письмо появилось сразу после статьи в центральной газете об их группе? Получается, отправитель написал его вчера, как только прочитал статью. Нужно будет завтра рассказать об этом Вейдеманису, подумал он перед тем как заснуть.

Утром Дронго сразу подошел к компьютеру, чтобы проверить почту. Новых писем не было. Он отправился в ванную комнату, побрился, переоделся и, выходя из дома, еще раз проверил почту. Похоже, неизвестный решил не отвечать на его письмо.

В кабинете генерала Шаповалова, кроме них троих, были вызванные сюда полковник Шатилов из Кургана, полковник Салимов из Уфы, подполковник Кокоулин из Павловска и подполковник Мякишев из Челябинска. Также в кабинете присутствовали еще человек десять неизвестных Дронго офицеров милиции и сотрудников Следственного комитета, а также двое сотрудников ФСБ, приглашенных на это совещание.

Первым слово предоставили Резунову. Он коротко доложил об итогах расследования, сообщил об их поездках по городам, визите в Астану. Убежденно сказал, что в Казахстане действовал тот же убийца, которого они ищут. Затем рассказал о возможных действиях группы, о проверке рейсов на Москву, гостиницы «Националь», фоторобота, составленного в Челябинске, и о выдержках из дневника погибшей, о которых сообщил ее муж, вице-губернатор области. Когда он закончил и сел на место, наступило тягостное молчание.

— Мы пригласили сюда всех руководителей групп из разных городов, чтобы прояснить этот вопрос, — сказал Шаповалов. — Дальше делать вид, что ничего не происходит, просто невозможно. Об этих случаях уже пишут центральные газеты. В Челябинске убита супруга уважаемого человека, самого вице-губернатора. Вы все знаете, что мы создали специальную группу под руководством полковника Резунова. В нее мы пригласили двух самых известных и уважаемых специалистов, которые должны были помочь нам в расследовании. Но, как видите, пока мы не сдвинулись с места, и собраны лишь разрозненные сведения, которые не дают общей картины и не позволяют найти преступника. — Он строго посмотрел на собравшихся и убежденно сказал: — А найти преступника мы просто обязаны. Очевидно, необходимо привлечение дополнительных сил и новых специалистов. Поэтому мы пригласили двух сотрудников из Федеральной службы безопасности, с которыми теперь будем координировать наши действия, а также специалистов из Следственного комитета. Я жду ваших конкретных предложений по поискам убийцы.

Все молчали. Неожиданно подал голос Гуртуев:

— Извините, что я хочу высказать свои замечания, но дело в том, что мы уже занимаемся расследованием этих преступлений. И нам нужны не дополнительные сотрудники, а всего лишь двое операторов с достаточно мощными компьютерами, чтобы проверить все наши предположения и выйти на возможного преступника.

— И сколько времени вам нужно, чтобы все это проверить? Неделя? Месяц? Год?

— Три или четыре дня, — немного подумав, ответил Гуртуев. — Мы постараемся уложиться в три дня.

В кабинете возникло некоторое движение.

На лице у Мякишева появилось выражение превосходства. Эти ученые совсем выжили из ума, если смеют давать такие нереальные обещания.

— Три дня? — переспросил Шаповалов. — Вы уверены, что через три дня у вас будет какой-то конкретный подозреваемый?

— Не могу гарантировать, — пробормотал Казбек Измайлович, — но вполне вероятно, у нас будет список подозреваемых лиц, среди которых может быть и убийца.

— Большой список?

— Этого я пока не знаю. — Все заулыбались, а Гуртуев, заметив настроение в зале, удивленно обратился к присутствующим: — Неужели вы не понимаете, что мы быстрее и точнее найдем этого преступника, чем вы со своими методами выбивания показаний из случайных свидетелей? Простите меня, уважаемый господин генерал, но ваши сотрудники чаще всего добывают информацию ломанием костей и запугиванием своей агентуры. А это явно не тот случай. Убийца — принципиальный одиночка. Он ни с кем и никогда не будет входить в контакт. А если и попытается, то сразу уберет этого человека, как опасного свидетеля. Поэтому ваши обычные методы в этом случае не подходят. Кроме того, ваши сотрудники совершают много ненужных ошибок. Сначала в Челябинске они выбивали признание у двух ни в чем не повинных ребят. — У Мякишева сползла улыбка с лица. — Затем в Кургане не догадались элементарно проверить опечатанные цеха — так сильно на них действовала магия бумажки с печатью, которая не остановила убийцу. — Шатилов вздохнул и, взглянув на Резунова, укоризненно покачал головой. — Затем очевидные ошибки в Павловске, когда следователи не обратили внимания на слова убийцы об архитекторе Камероне; и, наконец, халатные действия сотрудников самого Министерства внутренних дел, которые не ответили на запрос казахстанской стороны, посланный два с половиной года назад, не уделив ему должного внимания...

Последние слова потонули в смехе. Пока он обвинял провинциальных сотрудников милиции, все было достаточно напряженно, но, когда решил подвести итог, обвинив и само руководство МВД, это развеселило всех. Ведь тогда не оставалось непогрешимых, и можно было не беспокоиться за собственные ошибки.

— В таком случае нужно наказывать всех, — усмехнулся и Шаповалов, — от нашего министра до участковых в Кургане и Уфе. Но вы можете нам гарантировать, что через три дня у нас будет хоть какой-то результат? Или это только ваши предположения?

— Надеюсь, что сможем, — не очень уверенно ответил Казбек Измайлович.

— Ясно, — махнул рукой генерал. — Садитесь. — Он хотел еще что-то сказать, но в этот момент поднялся Дронго.

— Вы тоже желаете высказаться? — уточнил генерал.

— Если можно... Начнем с того, что у нас есть план возможной проверки перемещений убийцы по стране. Каким бы умным и предусмотрительным он ни был, этот убийца — живой человек и допускает ошибки, которые мы уже подметили и намерены использовать в своих интересах. У нас есть предположения, в каких городах его нужно искать.

— В городах? — переспросил Шаповалов. — Вы сами помаете, что говорите? Как вы собираетесь это делать?

— Мы знаем, сколько ему лет, как он одевается, разговаривает, общается с людьми. Знаем уровень его интеллекта, понимаем механику его перемещений, знаем, как именно он готовит свои преступления, как заманивает свои жертвы, под каким именем действует. Знаем даже, что он, возможно, имеет отношение к строительному или архитектурному бизнесу. Что у него пожилая секретарша, с которой он работает много лет. Знаем о его сексуальных расстройствах и болезни, которая была у него в детстве. Мы очень многое узнали за это время, господин генерал. — Он умышленно не назвал Шаповалова по имени-отчеству, чтобы подчеркнуть официальный характер своего доклада. — И наконец, мы ждем информации из Казахстана, где он успел побывать на стройплощадке до того, как совершил убийство. Должен заметить, что это одна из самых крупных строительных компаний Казахстана, и у них существует строгий учет всех, кто приезжает на строительство новых домов. Если в списке, который нам пришлют, окажется хоть одна совпавшая с нашими списками фамилия, это будет означать, что мы нашли убийцу.

Снова наступило молчание.

— Вы считаете, что у вас есть шансы его найти? — спросил наконец Шаповалов.

— Убежден, — ответил Дронго.

— Хорошо, садитесь, — разрешил генерал. Но эксперт продолжал стоять. — Что-то еще? — спросил Шаповалов.

Все присутствующие смотрели на Дронго. Он не имеет права ошибиться, не имеет права в такой момент выглядеть смешным. Но его интуиция, многолетний опыт, его знания — все говорило в пользу версии, которую он сейчас собирался озвучить. И тогда назад пути уже не будет. И он либо станет посмешищем в их глазах, либо окончательно утвердит себя как одного из лучших экспертов.

— Да, — заговорил Дронго. — Наконец, самое главное... Это не просто обычный серийный убийца, с которыми мы имели дело до сих пор. Это новый тип убийцы.

— В каком смысле новый? — нахмурился Шаповалов.

— Я полагаю, что он стоит достаточно высоко на социальной лестнице. Возможно, это крупный бизнесмен или руководитель государственной структуры. Я даже не исключаю, что он может работать в администрации губернатора другой области. Мы ищем не опустившегося бомжа и даже не Чикатило. Мы ищем убийцу-интеллектуала, возможно, даже осознающего порочность своих действий.

— Может, это губернатор или вице-губернатор соседней области? — зло пошутил Шаповалов.

Никто даже не улыбнулся. Все в упор смотрели на Дронго. Его заявление было слишком смелым и необычным.

— Этого я не утверждаю. Но, повторяю, мы имеем дело с новым типом убийцы, который ранее нам никогда не встречался. Поэтому будет правильно, если против такого интеллекта продолжит свою работу именно наша группа. Опыт полковника Резунова, знания профессора Гуртуева и мои собственные усилия смогут противостоять ему.

В полной тишине Дронго сел на стул.

— Иначе говоря, вы настаиваете на том, чтобы мы дали вам возможность продолжать это расследование? Хорошо. Три дня мы вам дадим. А потом снова соберемся и узнаем, что вы сумели найти. Такой вариант вас устраивает? — подвел итог Шаповалов.

ГЛАВА 16

На этот раз в кабинете Резунова собрались почти все офицеры его отдела и сотрудники МВД, которые присутствовали на совещании у Шаповалова. Во главе стола сидел сам Резунов и его коллеги по группе. С правой стороны — профессор Гуртуев, с левой — Дронго.

— Нужно составить списки на всех прибывших в Москву за день до убийства, — объяснял Дронго. — Зарубежных гостей пока не включайте. Обратите внимание на одиноких мужчин, взявших билеты в оба конца и вернувшихся обратно через два дня. То есть вы понимаете, о чем я вас прошу. Он прилетел в Москву, сел в поезд и добрался до Санкт-Петербурга. Там проехал в Павловск, совершил убийство, вернулся на вокзал и уехал в Москву, откуда улетел в свой город. Достаточно хитроумный план, но с одним изъяном — ему нужно было уложиться в два дня. Значит, он прилетел в четверг днем в Москву, утром в пятницу был в Санкт-Петербурге, а уже в субботу утром должен был вернуться к себе в город. Все списки по этим числам нужны нам сегодня к вечеру. Надо проверить отель «Националь», кто именно останавливался там с двенадцатого по четырнадцатое апреля, — вспомнил Дронго, — должна быть отмечена регистрация Ксении Гавриловны Далевской-Поповой. Учтите, убийца не обязательно проживал в этом отеле. Нужно проверить и соседние — «Метрополь» и «Ритц-Карлтон», может, еще «Хайятт Арарат», «Савой» — в общем, все соседние отели. Обращайте внимание на одиноких мужчин с Урала или из Сибири, проживавших двенадцатого-четырнадцатого апреля в этих гостиницах.

— Там такие зверские цены, что он не стал бы туда соваться, — заметил один из офицеров.

Резунов метнул в него уничтожающий взгляд.

— Проверяйте всех, даже миллионеров, — нервно приказал он. — Вы слышали, что сказал наш эксперт. Это не бомж и не опустившийся алкоголик. Это вполне состоявшийся тип, имеющий возможность жить в дорогом отеле. И, конечно, проверьте пассажиров, прилетевших в эти дни в Москву. Нам нужен полный список, возможно, какая-то фамилия совпадет со списком пассажиров, прибывших в Москву во время убийства в Павловске.

— Если у него столько денег, зачем ему убивать женщин? — пожал плечами офицер. — Он вполне может найти себе сразу нескольких за подходящую плату и удовлетворять свои садистские наклонности. Есть сколько угодно скрытых садистов, мазохистов и всякого рода извращенцев, которые за деньги могут подобрать себе любую компанию.

— Ему нужно убивать, чтобы получить удовольствие, — возразил Гуртуев. — Он должен не просто встречаться с женщиной, а чувствовать ее испуг, страх. Он этим живет, подпитывается. Точно так же, как Чикатило нужны были не просто жертвы. Он получал

удовольствие от своей кровавой работы. Настоящее удовлетворение.

— Пойдем дальше, — снова заговорил
Дронго. — У нас есть три города, которые мы
хотим взять за основу, — Ижевск, Пермь и
Екатеринбург. Необходимо уже сегодня вечером вылететь в эти города. Вместе с местны-
ми сотрудниками милиции составить списки
всех мужчин, когда-либо обращавшихся за
помощью к кожвенерологам. Хотя он вполне
мог лечиться в Москве или в другом городе.
Но это тоже наш шанс. Его приметы вам
всем известны. Конечно, он очень осторожен
и не стал бы афишировать свою болезнь в
родном городе, тем более если он перенес подобное заболевание в детстве, но все равно
проверяйте. Поднимите все архивные материалы, примерно двадцать пять — тридцать
лет назад, когда он был подростком.

— Такие материалы давно уже сожгли, —
высказался другой офицер.

— Возможно, — согласился Дронго, — но
вы все равно ищите. А самое главное — через
адресные бюро проверьте всех мужчин, которых зовут Вадимами Тарасовичами. Именно
в этих трех городах.

— Вы думаете, он такой кретин? — не выдержал Мякишев, до этого молчавший. — Ходит и представляется собственным именем?

— Нет, не думаю. Более того, уверен, что его зовут иначе. Но почему он взял себе именно эти инициалы? Казбек Измайлович считает, что здесь могло сработать его подсознание.

— Безусловно, — согласился Гуртуев, — это имя может и ничего не значить для него. Но он упрямо каждый раз называет себя именно этим именем. Следовательно, нечто, подсознательно тревожащее его в этом имени, должно быть наверняка. Иначе бы он просто запутался в чужих именах и своих легендах. Но каждый раз он представляется именно Вадимом Тарасовичем. И объясняет свою эрудицию тем, что является книгоиздателем. Для него так удобнее. Он даже обещал в Кургане своей жертве новые материалы по экологии края, чем вызвал ее живой интерес.

— Вадим Тарасович, — повторил Резунов. — Запишите и проверяйте. Я бы на всякий случай пробил это имя в городах, где были совершены преступления.

Офицеры дружно записывали его указания.

— Нужно составить группу, которая будет работать с железнодорожным транспортом, — продолжал Дронго. — Павловск — это особый случай, туда он приехал с пересадками. А вот три других города нам интересны. Тем более что коллеги в Челябинске сумели найти проводника, который его запомнил.

Мякишев не смог скрыть своего торжества и даже улыбнулся. Ему было особенно приятно, что такой недоброжелательный тип, как этот эксперт, отмечает их успехи.

— Там выяснили, что поезд шел из Екатеринбурга. Причем этот тип приехал в международном вагоне. Деньги у него есть, и возможность передвигаться таким образом тоже. Я имею в виду свободное время. Чаще всего он звонил своим жертвам с вокзала. Нужно проверить расписание всех поездов по компьютеру РЖД и выяснить, какие составы прибывали в эти города за несколько минут до его телефонных звонков. Он бы не стал ждать, это абсолютно точно, ведь он рассчитывал свои преступления буквально по минутам. И бывал на местах, где планировал убийства. Значит, едва сойдя с поезда, он звонил своим жертвам с вокзала, чтобы его не могли вычислить по мобильному телефону. Но и здесь он допускал небольшую ошибку. Если это один случай, то, возможно, мы не обратили бы на это внимания. Но когда есть несколько повторяющихся случаев, это уже система. А в каждой системе есть уязвимое место, — Дронго замолчал и взглянул на Резунова, словно давая ему наконец возможность высказаться.

— В этих трех городах, которые нам назвали, нужно проверить всех местных проституток, — строго приказал полковник. — Возможно, там были похожие случаи или женщины пропадали. Вполне вероятно, что он начал именно с них.

— Навряд ли, но проверить нужно, — согласился Гуртуев.

— Мы ждем списки из Казахстана, — продолжал Резунов, — всех гостей строительной компании, которые прибывали в Астану два с половиной года назад.

— Он каким-то образом связан со строителями или архитекторами, — добавил Дронго, — хотя не обязательно.

— Пойди туда, не знаю куда, принеси то, не знаю что, — язвительно прокомментировал Мякишев. — Думаете, мы так сумеем его найти?

— Нет, — ответил Дронго, — гораздо удобнее найти первых попавшихся ребят, измордовать их и заставить признаться во всех преступлениях.

Он увидел, как некоторые офицеры улыбнулись.

— За работу, — приказал Резунов, — у нас мало времени.

Дронго прошел в соседний кабинет, уселся за компьютер, ввел пароль и проверил свою электронную почту. Он был уверен, что увидит новое письмо. Действительно, сообщение от неизвестного знакомого пришло. На этот раз он подписался несколько иначе.

«Уважаемый господин эксперт! Спасибо, что сочли возможным ответить на мое письмо. Только мне кажется, что вы несколько увлеклись своей миссией. Неужели вы действительно считаете, что в нашем мире происходит борьба Добра и Зла? Увольте. Все уже давно решено. Пока у нас были какие-то иллюзии, мы пытались строить совершенное общество и верить в некие гуманистические идеалы будущего. Но идеалов не осталось, совершенное общество мы не построили, а вместо Бога или Маркса возвели на пьедестал Золотого тельца. Вы же умный человек и понимаете, что все давно проиграно. В мире торжествуют совсем другие ценности. Бог забыл нашу землю или давно от нее отвернулся, иначе у нас не было бы столько несправедливостей и пороков. Я тоже агностик, как и вы; даже думаю, что я воинствующий атеист. Разумному человеку, понимающему необъятность Вселенной во времени и пространстве, трудно поверить в старца, сотворившего все живое. И уж тем более трудно поверить в возможность существования наших душ после смерти. Ничего нет. Есть только мгновение жизни между рождением и смертью. И в этом ничтожном мгновении каждый устраивается как может. Понятие греха давно исчезло, его просто не существует, ведь душа не вечна, а ваше существование обречено на тление и забвение. Побеждают более сильные, более удачливые, более энергичные. И в политике, и в экономике, и в бизнесе, и в личной жизни. Даже в культуре, где незащищенному гению просто не дадут пробиться. Там нужны дельцы и пройдохи, умеющие рекламировать, подавать и продавать свой товар. Чтобы один человек был богатым и счастливым, сто человек должны влачить нищенское существование. Чтобы один человек мог получать удовольствие, десять человек должны испытывать страдания и унижения. Чтобы один был руководителем, тысяча должна уметь подчиняться и слушаться. Так устроен наш мир. Ничего из ничего не бывает. Деньги, жизнь, счастье, благополучие, любовь — все можно отнять и передать другому. А если все именно так, то какая людям польза от ваших поисков? Даже если найдете еще несколько преступников, которых сумеете разоблачить. Надеетесь, что кто-то скажет вам спасибо? Или благодарное человечество будет помнить сыщика, избавляющего мир от пороков? Вы же понимаете, что все ваши усилия обречены, и вы не сможете изменить этот мир. Может, обществу нужны преступники, как нужны хищники в природе, чтобы сохранять некое экологическое равновесие, уничтожая слабых и больных? А если такие преступники порождаются самим обществом? И еще, насчет вашей убежденности в силе Бога. Неужели вы действительно в это верите? Столько тысяч лет кровавых войн, насилия, преступлений, ужаса, страданий — и вы верите, что человечество может измениться к лучшему? Или победить Зло, которое сидит в каждом из нас? Неизвестный безбожник».

Дронго дважды перечитал письмо. Задумался. Затем обернулся к офицеру, сидевшему за соседним столом.

— Можно определить, откуда послано это письмо?

— Думаю, да, — сказал офицер, подходя к его столу. — Вы хотите узнать, кто отправитель?

— Да. Мне нужно знать, откуда отправлено письмо. И очень срочно. Как можно быстрее.

— Разрешите, я сяду за ваш компьютер, — попросил офицер. — Сейчас свяжемся с нашим техническим подразделением. Они как раз занимаются вычислением отправителей. Только они заняты поисками тех, кто просматривает детскую порнографию, или хакерами.

— Пусть найдут этого отправителя, — снова попросил Дронго, — а я сяду за ваш компьютер и напишу ему ответное письмо.

— Тогда не пересылайте сразу, — попросил офицер. — Я скажу, когда можно будет его отправить.

— Хорошо, — согласился Дронго и пересел за другой стол, где стал набирать ответное послание.

«Уважаемый господин Безбожник! Я получил и второе ваше письмо. Должен сказать, что оно меня не очень удивило, так как оказалось естественным продолжением первого. Аргументы, которые вы приводите, достаточно убедительные. Трудно возражать против тысячелетнего варварства, против того кровавого пути, который мы прошли в своем развитии. Но обратите внимание, что мы все-таки прошли этот путь и становимся немного лучше. Пусть не сразу, пусть не окончательно, но моральные нормы постепенно переходят в правовые. Уже нет права «первой ночи» сеньоров, нет бессловесных рабов, и женщин не насилуют на улицах после взятия городов. Вы скажете, что этот налет цивилизации лишь искусная оболочка, и везде, где нет твердого закона, торжествует анархия и дикость. Соглашусь. Но именно поэтому и торжествует, что там нет твердых законов. Один из учеников Фрейда уверял, что каждый человек рождается с предчувствием своей гибели. Может, это вообще относится ко всему живому. Но кто дает право одному индивидууму решать судьбы других людей? Я тоже много думаю о мгновениях нашей жизни. Обреченность человеческого существования, ничтожность нашей жизни перед лицом Вселенной очевидна, здесь я соглашусь. Более того, даже соглашусь с вами, что человек имеет право быть счастливым в это короткое мгновение своего существования. Но почему его счастье должно быть построено на несчастье других? Я веду расследование преступлений, которые являются отвратительными по своему характеру и ужасными по своим последствиям. Очевидно, убийца видит только свои жертвы и, получая удовольствие, уже не думает ни о чем другом. Его извращенная логика мне примерно понятна. Он берет свое в эти мгновения жизни и думает, что так и должно быть. Более того, свои жертвы он считает обреченными на заклание и заботится лишь о своих удовольствиях. Но как тогда быть с родственниками несчастных? Как быть с детьми, которых он оставляет сиротами, убивая их матерей? Как быть с мужьями, которые будут вечно оплакивать своих подруг? Ведь, вопреки вашему мнению, любовь все-таки существует. Как быть с родителями, которые переживают своих дочерей, терзаясь в муках всю оставшуюся жизнь? Убийца, которого мы ищем, даже не подозревает, сколько несчастья он причинил родственникам погибших. Мать одной из жертв сошла с ума, отец другой попал в больницу, муж третьей получил инфаркт. Я уже не говорю о детях, которые не могут понять, куда и почему исчезла их мать, — ведь убитые женщины в основном имели малолетних детей. И вы считаете, что подобные преступления могут быть оправданы с точки зрения Вечности? Или перед лицом нашей Вселенной? Пусть даже наши души не останутся навечно, в этом я могу с вами согласиться, но кто дал ему право так терзать души родственников погибших? А если он присвоил себе такое право, то должен понимать, что у общества тоже есть право защищаться от подобных насильников любыми способами. Именно поэтому я убежден, что Зло должно быть наказано. В этой жизни и на этой земле, даже если Бог давно забыл или отвернулся от нас».

В конце он написал «Дронго» и поставил точку. Затем перечитал послание и подошел к офицеру.

— Что-нибудь есть? Сумели вычислить, откуда было послано это письмо?

— Да, — ответил тот, — его послали из Москвы. Сейчас уточняют адрес.

— Не может быть, — нахмурился Дронго, — проверьте еще раз. Может, оба письма послали из другого города.

— Нет, — убежденно ответил офицер, — точно из Москвы. Но мы сейчас все проверяем. Вы не беспокойтесь. Через час будем знать даже точное место отправления. У нас очень толковые специалисты. Вы уже написали ответ?

— Он в другом компьютере.

— Пока не пересылайте, — попросил офицер, — отправьте минут через сорок.

— Хорошо. — Дронго поднялся и направился к выходу. Но у двери остановился и спросил: — А если неизвестный записал письмо и прислал свою флешку в Москву, чтобы отправить отсюда? Такой вариант возможен?

— Конечно, — ответил офицер. — Мы можем определить, откуда отправлено письмо, но, если он его записал заранее, мы ничего не сможем сделать.

В этот день никаких писем больше не было. Ближе к вечеру Дронго сообщили, что оба письма отправлены из московского интернет-клуба, находящегося на Пречистенке. Домой он вернулся в десятом часу вечера. Снова включил компьютер, перечитал оба письма неизвестного и свои ответы и долго сидел перед компьютером, анализируя каждое предложение в письмах отправителя. Заснул он уже в пятом часу утра.

ГЛАВА 17

Утром Дронго приехал в Министерство внутренних дел, где в кабинете Резунова его уже ждали сам полковник и профессор Гуртуев.

— Наши сотрудники работали вчера до полуночи, — сообщил Резунов. — Есть список из восемнадцати фамилий. Это пассажиры, которые прибыли в четверг и улетели в субботу. — Он протянул список Дронго.

— Командированные приезжают обычно на один или два дня, — заметил тот, просматривая список. — Понятно, что многие приезжают в четверг, чтобы сделать свои дела за два дня, а субботу оставляют для покупок и возможных встреч. Восемнадцать фамилий, и нет гарантии, что он среди них. Вадимов Тарасовичей, конечно, в списке нет?

— Есть один Тарас, — показал Резунов, — но Вадимов нет, это точно. Рядом указан год рождения — все мужчины в возрасте от тридцати пяти до пятидесяти пяти.

— Хорошо. Нужно позвонить в Астану и уточнить, когда они смогут прислать свой список. Офицеры, которых вы отправили в указанные нами города, что-нибудь передали?

— Они только вчера добрались, — напомнил Резунов. — Наверное, сегодня что-то передадут. Вместе с ними я отправил и наших прикомандированных: Шатилова — в Пермь, Мякишева — в Екатеринбург, Кокоулина — в Ижевск. Но пока нет никаких сведений.

— Осталось два дня, — негромко заметил Гуртуев, — а нужно успеть проверить все восемнадцать фамилий. Города указаны?

— Один из Магадана, другой из Владивостока, — посмотрел в список Резунов, — одиннадцать человек с Урала, остальные из Сибири. Если начнем проверку прямо сейчас, у нас уйдет как минимум неделя. Туда только добираться нужно сутки, и еще сутки обратно.

— Посадите ваших офицеров на телефоны. Пусть звонят в эти города и уточняют данные по этим людям, — предложил Гуртуев. — Не обязательно туда лететь, можно все проверить удаленно.

— Мы так и сделаем, — согласился Резунов, забирая копию списка и выходя из кабинета.

Профессор взглянул на Дронго и грустно усмехнулся.

— Ваше выступление оказалось вчера гораздо более убедительным, чем мое неудачное бормотание. Вам никто не говорил, что давно пора переквалифицироваться в адвоката? Будете получать гораздо больше денег. Спокойная и уважаемая работа. Тем более с вашим талантом златоуста.

— Надеюсь, что еще немного смогу поработать в качестве эксперта, — ответил Дронго. — Хочу поделиться с вами своими сомнениями, Казбек Измайлович. У меня два письма, которые я получил вчера утром и позавчера ночью. Они показались мне достаточно интересными. Я анализировал их всю ночь. Посмотрите, пожалуйста. — Он протянул оба листка бумаги Гуртуеву.

Тот взял письма, надел очки и начал читать, бормоча при этом:

— Очень интересно, весьма... да, у этого человека своя философия... обратите внимание... да, действительно интересно... — Потом он положил листки на стол и посмотрел на Дронго. — Кто это такой? Ваш знакомый?

— Конечно, нет. Вот мои два ответа. — Дронго достал свои письма и отдал их профессору.

— Хорошо, очень недурно. Так вы еще и мастер эпистолярного жанра... Ах, так... Значит, мы думаем с вами одинаково... все правильно... — Возвращая письма эксперту, Казбек Измайлович сказал: — Я все понял. Вы считаете, что это и есть тот самый убийца, которого мы ищем. Неужели он осмелился вам написать? И не боится, что мы можем его вычислить?

— Он опять подстраховался, — сообщил Дронго. — Я уже попросил проверить, откуда были отправлены письма. Оказалось, из интернет-клуба на Пречистенке.

— Значит, мы ошибались, и он находится в Москве? — встревожился Гуртуев. — Мы напрасно проверяли все эти рейсы?

— Думаю, что нет. Он очень образованный человек и прекрасно понимает, что с помощью новых технологий я сумею узнать, откуда он отправлял свои письма. Поэтому приехал в Москву и отправил свои письма именно из интернет-клуба, чтобы мы не смогли его найти. Там ежедневно бывают сотни или тысячи людей, и его бы вряд ли запомнили. Тем более если он принес письма, записанные на флешку. Достаточно просто передать такое письмо, на это уйдет несколько секунд.

— Очень любопытный стиль. Похоже, мы были правы. У него своя философия жизни и смерти. Но как он узнал ваш электронный адрес? Может, кто-то из ваших знакомых ему его передал?

— Я уверен, что он предусмотрел эту возможность и получил мой электронный адрес через вторые, а может, и третьи руки. Здесь мы наверняка ничего не найдем. А свои письма он отправил после этой ненужной статьи, в которой написали про наше расследование.

— Вы думаете, что в следующий раз он напишет и мне тоже? — усмехнулся профессор.

— Надеюсь, что нет. Но мне кажется, что он опять мог допустить небольшую ошибку, которую мы обязаны проверить.

— Какую?

— Специально приехал в Москву, чтобы отправить отсюда свои сообщения. Ведь в этом случае я не смогу вычислить, откуда он отправлял свои письма.

— Тогда это не ошибка, а его точный расчет, — пожал плечами Гуртуев.

— Ну да. Расчет на то, что мы не сможем найти отправителя писем, — согласился Дронго. — Но мы можем найти человека, который вчера или позавчера прилетал в Москву. По нашему списку. Если совпадет хоть одна фамилия, тогда это тот самый человек.

— Я начинаю вас опасаться, коллега, — признался Гуртуев. — С такими мозгами нужно было идти в ученые. Давайте проверим и этих пассажиров; может, действительно что-то получится.

В кабинет вернулся Резунов, и они коротко пересказали ему свой разговор, показали письма. Он сразу позвонил одному из своих сотрудников, приказав затребовать списки всех пассажиров, прилетевших за последние три дня в Москву на самолетах из Сибири и с Урала, и сравнить со списком, который у них уже был. Теперь оставалось только ждать. Генерал Шаповалов лично возглавил поиски, сделав из своего кабинета оперативный штаб.

Вскоре поступили первые сообщения с Урала и из Сибири. На Дальнем Востоке была уже ночь. Один из пассажиров оказался начальником райотдела милиции. Еще один — известным спортсменом, прилетавшим на заседание Олимпийского комитета.

— Этих можно сразу исключить, — решил Шаповалов.

— Как раз наоборот, — возразил Гуртуев, — этих двоих и нужно оставить. Наш убийца — человек физически сильный, независимый, обеспеченный и, судя по всему, может знать, как работают ваши сотрудники.

Не удивлюсь, если это будет сам начальник райотдела милиции.

— Только этого нам не хватало для полного счастья, — взволнованно произнес генерал. — Представляю, что здесь будет, если окажется, что серийный убийца — начальник милиции. Тогда точно не удержится в своем кресле ни министр, ни его заместители. А меня вообще выгонят так, что потом даже охранником никуда не возьмут.

— Надеюсь, что до этого не дойдет, — успокоил его Дронго, — но все равно нужно все проверить. Пусть уточнят, где он был в апреле этого года. Или пробьют по срокам, когда совершались убийства.

— Представляю, как он обидится, — пробормотал Шаповалов.

— Дайте указание, чтобы они прислали нам эти материалы, — предложил профессор.

Напряжение нарастало. Позвонили из Омска. Один из пассажиров, указанных в списке, был директором мебельного магазина. Высокий мужчина в очках, сообщили по телефону. Андрей Захарович Гримич. Проверка установила, что в апреле он был в Москве.

— Пусть немедленно проверят его группу крови, — распорядился Шаповалов.

Через некоторое время опять позвонили из Омска. Гримича дома не оказалось, а родные не знали, где его искать.

— Пусть объявят план «Перехват», — приказал Шаповалов, — пусть бросят на его поиски всю городскую милицию. Нужно его найти и проверить группу крови.

Потом позвонили из Ижевска. Там нашли еще одного пассажира из списка. Юсиф Гареев. Бизнесмен, руководитель небольшой фирмы по производству пластмассовых изделий. Проверяющие выяснили, что он часто выезжает в командировки. А в больнице выяснили, что у Гареева третья группа крови.

— Немедленно задержать! — Шаповалов взглянул на сидевших в его кабинете экспертов. — Кажется, вы считали, что он может быть бизнесменом. Похоже, что мы его вычислили.

— Они не сказали, где он находится? — спросил Дронго.

— Говорят, уехал куда-то за город, — ответил генерал, — надеюсь, что его найдут.

У нас еще двое с Дальнего Востока. Их начнут проверять, когда у нас уже будет ночь, так что я останусь в своем кабинете до завтрашнего утра.

— Мы тоже останемся, — храбро сказал Гуртуев. — Надеюсь, горячий чай вы нам обеспечите?

— Сколько угодно, — улыбнулся Шаповалов.

К вечеру выяснилось, что, кроме двоих неизвестных с Дальнего Востока, все остальные лица установлены. Среди них были главный агроном, директор института, заместитель начальника управления механизации, директор Дворца культуры, парикмахер, главный инженер большого комбината и даже бывший заключенный, освободившийся как раз накануне своего визита в Москву.

— Заключенного, наверное, надо проверить в первую очередь? — поинтересовался Шаповалов.

— Его можно вообще вычеркнуть, — ответил Дронго.

— Почему? Он как раз был в эти дни в Москве, — удивился генерал.

— А до этого? Он же находился в колонии, значит, не мог убивать в Харькове и Астане. Нет, это не наш убийца. Его можете сразу исключить.

Ближе к семи часам вечера сообщили, что нашли Гримича. Он страдал одышкой, сахарным диабетом, перенес инфаркт и с трудом передвигался. У него была вторая положительная группа крови, и сотрудники милиции уехали, взяв у него анализ и едва не доведя несчастного до второго инфаркта.

Проверка выяснила, что среди пассажиров, прибывших в Москву за последние несколько дней, есть только одна совпавшая фамилия — Гареев из Ижевска.

— Третья группа крови и два совпадения в списках, — удовлетворенно кивнул Шаповалов. — Значит, мы его нашли. Наша группа рано утром вылетит в Ижевск, чтобы взять этого мерзавца. Если он сбежит, я всем голову оторву, — пообещал Шаповалов. — У него есть семья?

— Сейчас уточню, — виновато ответил полковник.

Через несколько минут он ворвался в кабинет генерала.

— Из Ижевска сообщили, что у него четверо детей и трое внуков. Нашли участкового, который знает их семью.

Шаповалов посмотрел на экспертов и автоматически повторил:

— Четверо детей. Неужели это наш маньяк?

— У Чикатило тоже была семья, — напомнил профессор Гуртуев. — Все равно надо проверить.

Эта ночь была бессонной и тревожной. Ближе к утру позвонили из Магадана. Пассажир, указанный в списках, был золотоискателем и в настоящее время находился где-то за городом.

— Пусть позвонят в его поликлинику и узнают его группу крови, — рявкнул вконец измотанный Шаповалов.

Затем позвонили из Владивостока. Пассажир был бурятом с русской фамилией Рыжов.

— Ваш убийца похож на бурята? — поинтересовался Шаповалов. У него уже не было сил даже улыбнуться.

Дронго взял трубку и спросил начальника городской милиции:

— Где находится ваш Рыжов?

— У меня в кабинете, — ответил начальник, — стоит рядом со мной.

— Какая у него группа крови?

— Первая положительная, — услышал он в ответ.

— А какой он из себя?

— Маленький, полный. Он у нас работает в охотничьем хозяйстве, очень хороший специалист. Мы не понимаем, почему вы его ищете. Что нам с ним делать? Задержать?

— Это уже в вашей компетенции, — передал трубку генералу Дронго. — Скажите, чтобы его отпустили.

— Можете его отпустить, — проговорил генерал, потом положил трубку и устало посмотрел на Дронго. — А если все напрасно? У нас еще восемь человек, группу крови которых мы пока не узнали. Представляю, как выглядят наши сотрудники, которые бегают по городам, спрашивая у этих пассажиров их группу крови.

Начали поступать сообщения из других

городов. Сотрудники милиции проверяли и узнавали о каждом из пассажиров. Кроме Гареева, ни у кого больше не оказалось третьей группы. Наконец, снова позвонили из Ижевска. Гареев нашелся на своей даче за городом. У него была третья группа крови, но резус-фактор положительный, и испуганный бизнесмен не понимал, почему к нему на дачу приехали сразу три автомобиля сотрудников милиции, которые заставили его сдать кровь.

Проверка закончилась. Среди восемнадцати пассажиров не было ни одного с третьей отрицательной группой крови.

Шаповалов взглянул на экспертов. На часах был уже седьмой час утра.

— Кажется, закончили, — сказал генерал. — Как видите, ваша теория не сработала. И мы управились не за три дня, а за полтора. Спасибо вам за помощь. Теперь придется начинать все заново.

— Нет, — возразил Дронго, — вы дали нам три дня. А прошло только полтора.

— Мы всех уже проверили, — напомнил Шаповалов. — Вы же знаете, как я вас уважаю, но, видимо, в этот раз не получилось.

— У нас есть еще полтора дня, — упрямо повторил Дронго, — и я прошу нам поверить. Мы постараемся сделать все, чтобы его найти.

— Мы только теряем время, — сказал генерал.

— Мы его найдем, — твердо пообещал Дронго. — В конце концов, вы сами дали нам три дня.

— Хорошо, — решился наконец генерал, — еще полтора дня. Завтра вечером мы прекратим работу вашей группы.

Гуртуев и Дронго вышли из кабинета генерала.

— Я поеду домой и немного посплю, — устало проговорил Казбек Измайлович, — и вам тоже советую отдохнуть.

— Я останусь, — возразил Дронго и прошел в кабинет Резунова.

Через некоторое время туда вернулся сам полковник.

— Шаповалов прав, — мягко сказал он, — нужно просто признать, что у нас ничего не получилось.

— Давайте еще одну проверку, — попросил Дронго. — Проверьте всех, кто сегодня должен улететь из Москвы.

— Вы же поняли, что все бесполезно, — покачал головой Резунов, — мы проверили всех пассажиров. Там вообще нет людей с третьей отрицательной группой крови. Наверное, вы где-то ошиблись.

— Проверьте списки, — упрямо повторил Дронго. — Я только сейчас начинаю понимать, зачем он приехал в Москву. Он не только отправил мне сообщение, он еще и готовит новое преступление. Если мы не поторопимся, следующее убийство произойдет в Москве. Проверьте сегодняшние списки.

— Хорошо, — согласился Резунов, скорее из чувства солидарности с экспертом, чем веря в подобную проверку, и вышел.

Дронго устало закрыл глаза. Насчет Санкт-Петербурга он просто не мог ошибиться. Убийца наверняка прилетел в Москву, а затем отправился туда на поезде, ведь он звонил именно с Московского вокзала. Но тогда почему ничего не дали апрельская проверка и нынешний визит возможного убийцы? Предположим, в апреле у него было время, и он приехал сюда на поезде. Сюда и обратно. Если их предположения правильные, то та-

— Откуда рейсы?

Тут в кабинет вошел Резунов.

— Что случилось? — удивленно спросил он.

— Рейсы? — крикнул Дронго.

— Из Екатеринбурга и Перми, — сообщил офицер, посмотрев в свой список.

— Он прилетел другим рейсом в Нижний Новгород, — выдохнул Дронго, — а теперь улетит из Москвы. Уже сегодня. Проверьте фамилии, они должны совпасть. Из этих городов в Нижний. Он летел прямым рейсом, так как торопился быстрее попасть в Москву.

Офицер сел за компьютер. Резунов протянул Дронго листок бумаги.

— Из списка пассажиров, который вы дали, совпала только одна фамилия. Баратов. Он был в нашем предыдущем списке, но мы его проверяли. Это директор института, и у него первая положительная группа крови.

— Какого института? — тихо уточнил Дронго.

— Институт занимается вопросами градостроительства и архитектуры, — сообщил Резунов и поднял глаза на Дронго.

— Не может быть, — прошептал тот, — этого не может быть...

И тут офицер, проверявший рейсы на Нижний, сообщил:

— Два дня назад поздно вечером из Перми в Нижний прилетел Баратов Вениамин Борисович.

Все замерли.

— Я думал, что такое бывает только в кино, — пробормотал Резунов.

ГЛАВА 18

Он действительно решил послать сообщение этому эксперту. В конце концов, нужно, чтобы «охотник» понимал никчемность своей задачи и ничтожность своего ремесла. Вениамин Борисович собирался вылететь в Москву. Он помнил, что они договорились о встрече с Аленой. Пусть теперь эти эксперты ищут его на просторах Сибири или Урала, а он переключится на центральную часть. Сначала на Москву, потом на Волгоград. Они даже не подозревают, что у него уже есть новые объекты, новые потенциальные жертвы.

Рейсы на Москву вечером отменили, и Вениамин полетел в Нижний Новгород, чтобы добраться в столицу к утру следующего дня, ведь он должен был увидеться с Аленой. Приехав в столицу, сразу отправился на Пречистенку, чтобы передать свое первое послание. Затем спустился в метро и добрался до Орехова-Борисова, где обычно останавливался у знакомой старушки, оплачивая ей комнату посуточно, а затем вернулся в центр и отправился к Белорусскому вокзалу, где у него была назначена встреча с Аленой. Он сообщил ей, что приедет из Минска.

Алена подъехала на своей серебристой «Ауди», опоздав на двадцать пять минут, и даже просигналила, чтобы он обратил на нее внимание. Она была одета в темный брючный костюм и кожаную кутку. Он сел к ней в салон и протянул небольшую коробочку.

— Что это? — спросила она.

— Небольшой сувенир, — улыбнулся Вениамин.

Она открыла коробку. В ней лежал янтарь, вырезанный в виде водолея. По знаку гороскопа она была Водолеем, и он это знал.

— Оригинально, спасибо. Вы давно меня ждете?

— Не больше часа, — пошутил он.

— Эти московские пробки никогда не закончатся, извините. Я надеялась, что новый мэр хоть что-то сумеет сделать.

— В каждом большом городе есть свои проблемы, — ответил он.

— В вашем Екатеринбурге тоже бывают пробки? — спросила Алена, выруливая машину вправо.

Он по привычке соврал ей, сказав, что живет в Екатеринбурге, где работает директором крупного издательства.

— Конечно, бывают.

— А ваше издательство находится в центре города?

Он терпеть не мог, когда его расспрашивали о его работе или месте жительства, ведь так легко что-то забыть и ошибиться, хотя он свои легенды помнил достаточно хорошо.

— В самом центре. Я вас туда как-нибудь приглашу.

— Странно. У меня подруга из Екатеринбурга, я ее спрашивала про ваше издательство, но она ничего о нем не знает.

Вот этого он всегда опасался. Во-первых, она сообщила подруге, что у нее есть знакомый издатель, и назвала город. Нужно быть осторожнее.

— Она давно уехала из Екатеринбурга? — спросил Вениамин.

— Несколько лет назад. Они с мужем переехали в Москву.

— Тогда понятно. У нее устаревшие сведения. Мы — издательство молодое, но уже достаточно крупное и известное.

— Вы надолго в Москву? — спросила Алена.

— Сегодня уезжаю, — немного огорченно сказал он. — Я хотел, чтобы мы вместе пообедали.

— Куда поедем? — деловито поинтересовалась она.

— Вы лучше меня знаете рестораны города. — Ему нравилось играть роль несколько провинциального чудака, которого очаровывает столичная львица. Похоже, ей тоже это нравилось.

— Тогда поедем за город, в «Царскую охоту», — предложила Алена.

— Надеюсь, там будет не очень много посетителей, — пробормотал Вениамин.

Она выехала на Тверскую, и машина снова застряла в пробке.

— Мы доберемся не раньше, чем через два часа, — в сердцах произнесла Алена.

— Ничего, — попытался он успокоить девушку. — Я никуда не тороплюсь.

— Впервые в жизни встречаю человека, который никуда не торопится. — Она повернула к нему голову. — Вы еще в прошлый раз меня удивили, когда начали рассказывать о книгах по искусству. Обычно книгоиздатели больше интересуются доходами, а не содержанием издаваемых книг.

— Значит, я не современный издатель, — пошутил Вениамин.

Она лукаво улыбнулась в ответ.

— Я как раз думаю, что вы очень современный. Вы так интересно рассказываете, что хочется слушать и слушать. А мы, женщины, любим ушами.

— Тогда я должен говорить без остановки, чтобы вам понравиться.

— Терпеть не могу болтунов. Они всегда не очень серьезные люди. У нас в столице их как раз больше, чем нужно. И вообще, говорят, что настоящих мужчин нужно искать в провинции — в Сибири или на Урале. Вот моя подруга вышла замуж в Екатеринбурге за молодого парня, который сейчас уже стал миллионером. А ему только чуть больше тридцати.

— Провинциалы обычно бывают более пробивными, — согласился Вениамин, — иначе нельзя. Им нужно добиваться своего места под солнцем.

— У вас большой оборот в вашем издательстве? — спросила вдруг Алена.

— Около сорока миллионов.

— Долларов?

— Пока рублей. Но доход за прошлый год составил больше трехсот тысяч долларов.

— Неплохо для провинциального издательства, — согласилась она. — А в ваших планах нет попытки покорить Москву?

— Есть. Я даже собираюсь приобрести здесь квартиру.

— Тогда обратитесь ко мне, — обрадовалась Алена. — У другой моей подруги муж — руководитель большой риелторской фирмы.

Я всем своим знакомым помогаю через него с квартирами.

— Большое спасибо. Обязательно воспользуюсь вашей помощью.

— А какая квартира вам нужна? Сколько комнат? Одну или две?

— Нет, думаю, четыре или пять. Я собираюсь пустить здесь корни, перебраться сюда надолго.

— Четырехкомнатная квартира в центре будет стоить не меньше миллиона долларов. Потянете?

— Думаю, да.

— Тогда все будет нормально, — улыбнулась она, — можете не беспокоиться. Вам найдут лучшую квартиру в самом хорошем доме. Но вы сказали мне тогда, что еще не женаты?

— Я разведен, — уверенно соврал он.

— И детей нет?

— Была дочь, но она умерла совсем маленькой, — сказал он, чтобы вызвать к себе сочувствие. — Собственно, после этого мы и решили развестись.

— Извините...

— Ничего. Прошло уже много лет.

— И вы живете один?

— Еще не нашел женщину, которая согласилась бы меня терпеть.

— Так нельзя. Вы слишком скромный человек, — убежденно произнесла Алена. — Нельзя сидеть и ждать, нужно самому активнее искать.

— Не получается. Слишком много работы. Вот я сейчас приехал из Минска, а вечером уеду к себе в Екатеринбург.

— А когда снова будете в Москве?

— Недели через две или три. — Ей не обязательно знать, что он еще должен найти подходящее место для преступления. И хотя в Москве Вениамин бывал много раз, это далеко не так просто. Хотя у нее есть автомобиль, что сильно упрощает задачу. Можно выехать за город и найти подходящее место в подмосковном лесу. Но для этого нужно предварительно самому все осмотреть.

— О чем вы задумались? — спросила она.

— Ни о чем. Вы спросили, когда я приеду, и я стал вспоминать, когда точно надо будет снова быть здесь. Мы размещаем часть заказов в ваших подмосковных типографиях. Хочу приобрести одну из них. Правда, ваши местные бизнесмены заламывают несусветные цены. Больше пяти миллионов...

— Рублей?

— На этот раз долларов. Мы собираемся взять кредит в банке, чтобы приобрести такую типографию. Половина денег у нас уже есть, а остальную сумму мы надеемся получить через банк.

— У меня есть знакомый банкир, — оживилась Алена.

— Нет, — мягко возразил Вениамин, — нельзя смешивать бизнес и личные чувства. Деньги я найду сам, это не такая большая проблема для нашего издательства. Лучше мы с вами останемся хорошими друзьями.

— Ладно, — согласилась она, — но с квартирой я вам все равно помогу.

— Вот за это спасибо.

— Сразу чувствуется, что у вас нет московской хватки. Любой москвич прежде всего поинтересовался бы, каких банкиров я знаю, какой кредит они могут дать, под какой процент. А вы интересуетесь покупкой дома и не хотите говорить со мной о деньгах.

— Именно поэтому и не хочу, что не москвич. Должен я как-то от них отличаться, чтобы произвести на вас впечатление.

— Уже получилось. — У нее маленькие ровные зубы и пульсирующая голубая жилка на горле. Интересно, как она поведет себя, когда он начнет ее душить? Заплачет, будет просить не трогать ее или попытается сопротивляться? — Ой, вы так посмотрели, как будто укололи меня, — поежилась Алена. — Это нечестно. Смотрите вперед, я же не могу смотреть на вас.

— Не отвлекайтесь, — согласился Вениамин. — Нам авария совсем не нужна.

— Какая авария может быть в таких пробках? — немного рассерженно произнесла она.

Некоторое время они молчали.

— Вы любите музыку? — снова заговорила Алена, включая магнитофон.

— Люблю. Рахманинова, Шопена.

— У вас хороший вкус. У меня мама — музыкант.

— Это я помню. А папа — прокурор.

— Да. Государственный советник третьего класса, то есть генерал-майор, если по-военному.

— Большой чин, только я в этом совсем не разбираюсь.

— Зато разбираетесь в искусстве и в своем деле, — возразила она. — Один мой знакомый журналист рассказывал мне, что среди легальных доходов самые большие деньги имеют торговцы нефтью, оружием и книгами. А среди нелегальных — торговцы наркотиками.

— Насчет наркотиков, нефти и оружия не знаю — никогда не торговал. А книгоиздание может быть прибыльным — если правильно выстроить маркетинг, знать, что сегодня требуется читателям, издавать нужную литературу и, конечно, успешно ее продавать.

— А в московских магазинах есть книги вашего издательства?

— Есть, но не во всех. Мы считаемся филиалом АСТ, а у них сеть по всему бывшему Союзу.

— Значит, это ваше издательство.

— Нет. Есть просто АСТ, есть АСТ-Пресс, есть АСТ-Астрель, а у нас АСТ-Норд. — Он специально интересовался этим издательством, чтобы натурально соврать, если его спросят.

— Про АСТ я слышала, — кивнула Алена.

Когда они выехали на трассу, машин стало меньше, и уже через полчаса они поднимались на второй этаж ресторана. Посетителей в дневные часы было не так много. Он разрешил ей сделать заказ.

— Я часто приезжаю сюда с друзьями и не хочу, чтобы нас внизу видели, — прошептала Алена.

Это как раз совпадало и с его желаниями. Во время обеда она даже позволила себе два стакана вина. Когда они возвращались обратно в город, Алена поинтересовалась:

— У вас совсем нет времени? Может, заедем ко мне?

— А вы живете одна?

— Да. Сын живет с моими родителями.

Еще одно место, где можно спокойно совершить нападение. Это даже лучше, чем подмосковный лес. Надо все проверить, но только не сейчас. Он не готов к этому визиту. Свой чемодан с необходимыми предметами он оставил у себя дома.

— А где вы живете? — уточнил Вениамин,

Она назвала адрес дома и спросила:

— Так поедем или нет? — Было заметно, что она немного волнуется.

— Мне так хочется поехать, — признался он, — но не могу. Я еще должен просмотреть документы на типографию. И успеть к отлету.

— Жаль, — коротко произнесла она, — очень жаль.

Они доехали до Белорусского вокзала, и она остановила машину.

— Когда будете в Москве, обязательно позвоните, — предложила она.

Он взял ее руку, нежно поцеловал. Алена наклонилась и сама поцеловала его в губы. Затем махнула рукой:

— Идите быстрее, а то мы, как дети, будем целоваться в машине. Даже неудобно, нас могут увидеть.

— До встречи. — Он вышел из автомобиля, и машина сразу отъехала.

Вениамин снова отправился на Пречистенку, прочел ответ Дронго и набрал новое послание. Потом поехал обратно в Орехово-Борисово, чтобы переночевать и утром улететь. Вечером, когда он ложился спать, раздался телефонный звонок его мобильника, который он включал, только когда никого рядом не было. Высветился номер, по которому его находили сотрудники института.

— Извините, — раздался незнакомый голос. — Это Вениамин Борисович?

— Да, — удивился он. — А кто со мной говорит?

— Ваш участковый Лебедев. Может, вы меня помните? Я в прошлом году у вас был, когда в институте стекло разбили.

— Помню, — улыбнулся Вениамин Борисович, вспомнив неказистого участкового, составлявшего тогда акт и очень переживавшего из-за сломанной оконной рамы.

— Я ваш номер у Зинаиды Никаноровны узнал, — продолжал участковый. Вы простите меня, что так поздно звоню. Но я вам в институт тоже звонил...

— Что случилось? Опять окно сломали?

— Нет. У нас проверки идут по всем городам. Ищут кого-то. Поэтому я вас и беспокою. Они хотели приехать, но я им сказал, что сам позвоню, чтобы вас не беспокоили.

— Кого ищут? Кто приехать хотел? Ничего не понимаю.

— Наши сотрудники из уголовного розыска. Просили узнать, какая у вас группа крови. Вы извините, Вениамин Борисович, что я вас об этом спрашиваю...

Он замер. Рано или поздно подобное должно было произойти. Неужели его письма? Нет, так быстро его не смогли бы вычислить. Участковый говорит, что проверяют многих. Значит, пока не уверены, только ищут. И это, конечно, не его письма, иначе многих бы не проверяли.

— У меня первая положительная группа, — сообщил он участковому.

— Спасибо, — обрадовался тот. — Извините за звонок. Сейчас побегу, скажу ребятам, чтобы вас не беспокоили.

Вениамин осторожно положил мобильник на стол и подошел к окну.

— Вот так, — сказал он. — Сколько веревочке ни виться...

ГЛАВА 19

На этот раз они полетели в Пермь в составе большой группы сотрудников Министерства внутренних дел. Выслушав их последние сообщения, Шаповалов даже не сразу поверил и приказал еще раз все перепроверить. Самое обидное, что сотрудники милиции даже не приехали в институт, в городе все хорошо знали Вениамина Борисовича. Участковый капитан Лебедев просто позвонил ему на мобильный и узнал группу крови. Вениамин Борисович ответил, что первая положительная, и на этом вся проверка закончилась. Капитану Лебедеву, лично знавшему директора института много лет, даже в страшном сне трудно было представить, что серийным убийцей, которого ищут по всей стране, может быть такой солидный и известный человек.

Они прибыли в город, взяв под наблюдение квартиру, дачу и институт, в котором работал Вениамин Борисович. Рано утром «объект» вышел из своего дома, сел в служебную машину и поехал на работу. Сразу два автомобиля последовали за ним. К этому времени они получили подтверждение из Казахстана. Среди гостей строительной компании, прибывших на конференцию два с половиной года назад, был и директор института Баратов Вениамин Борисович, который вместе с группой других приглашенных осматривал строящееся здание компании. Сомнений уже не оставалось: слишком много совпадений не в пользу Баратова. Достаточно быстро удалось установить, что у него третья отрицательная группа крови и что он соврал участковому.

Но самые поразительные новости сообщил прибывший сюда полковник Шатилов. Он выяснил, что некоторое время назад на своей даче был задушен некто Вадим Тарасович Билык. Шатилов сразу обратил внимание на имя и отчество погибшего. Проверка установила, что именно этот бизнесмен одно время был соседом Баратовых, а затем съехал из дома, поменяв квартиру.

В милиции сообщили, что в убийстве бизнесмена подозревается его супруга. Машина самого убитого была найдена в ста километрах от города. По приказу Шатилова эксперты внимательно еще раз осмотрели дачу, где произошло убийство. На полу были найдены частицы спермы и крови. Экспертиза установила вторую группу, которая была у исчезнувшей женщины, а по сперме выявили третью группу с отрицательным резус-фактором. Круг замкнулся, сомнений не было. Но почему убийца изменил себе, напав на дачу бывшего соседа? Ведь он рисковал, зная, что в доме находится мужчина. Никогда прежде он не позволял себе подобного; тем более что исчезнувшая супруга бизнесмена не подходила под тип женщин, нравившихся убийце. Тем не менее приходилось считаться и с тем, что именно Вениамин Борисович посетил своего бывшего соседа. Задушил его, изнасиловал и убил его супругу, а затем увез тело последней на машине, чтобы спрятать его в другом месте.

Когда Баратов уехал на работу, группа оперативников начала проверку его квартиры. Проверяли все — комнаты, шкафы, комоды, серванты. Убийца жил один, только раз в неделю сюда приходила домработница, убиравшая в квартире. Буквально сразу был найден пузырек с нашатырным спиртом. Затем нашли стопку чистых простыней, лежавших отдельно в шкафу. Еще одна стопка одноразовых целлофановых и резиновых перчаток была спрятана на кухне. Большую бутыль с хлороформом обнаружили в холодильнике. Одним словом, все, что могло пригодиться убийце, и все, что он использовал в своих нападениях, оказалось в его квартире.

Вениамин Борисович проводил совещание в своем кабинете, собрав ведущих сотрудников института и руководителей отделов. Наблюдатели передавали, что внешне он был спокоен, хотя все понимали, что он должен уже догадаться обо всем. Ведь участковый, позвонив ему, наивно сообщил, что милиция ищет преступника с определенной группой крови.

К четырем часам дня удалось установить, что погибший Вадим Тарасович Билык продал свой дачный участок, который находился рядом с участком Баратовых.

— Неужели он что-то подозревал? — недоумевал Резунов. — Неужели поэтому не хотел жить рядом с ними?

Пришлось опрашивать соседей, которые рассказали, что раньше Вениамин Борисович жил вместе с матерью и гражданской женой Катей, которая несколько лет назад неожиданно съехала из квартиры и никогда больше здесь не появлялась.

— У него еще и женщина была! — удивлялся Резунов. — Что же, она не видела и не понимала, с каким чудовищем живет?

— Возможно, видела и понимала, — предположил Гуртуев, — именно поэтому и ушла. Ее, конечно, нужно найти, она может многое нам рассказать. Интересно, каким он был до того, как стал совершать свои дикие преступления? Ведь его что-то толкнуло к этим убийствам. Навряд ли он с самого детства был убежденным преступником.

— Когда мы его арестуем, вы сможете с ним побеседовать, — разозлился Резунов. — В тюремной камере, где он будет отбывать пожизненный срок — если, конечно, другие заключенные дадут ему такую возможность. Насильников и педофилов не любят ни в одной тюрьме, нигде в мире. Жизнь у него там будет не очень-то веселая.

— Я знаю, — печально ответил Казбек Измайлович, — и это обстоятельство как раз всегда волновало меня более всего. Мало того, что их психотипы несколько отличаются от общей нормы, так в тюрьмах и колониях их подвергают бесчеловечным пыткам, и они превращаются в законченных зверей. А те, кому удается вырваться, начинают мстить за свои унижения в этих местах.

— В таком случае будем помещать убийц-маньяков в санатории, — предложил Резунов. — Вы это предлагаете?

— Я предлагаю изолировать и наказывать их, но не подвергать пыткам и унижениям, —

ответил Гуртуев. — Хотя понимаю, что мои претензии в данном случае не по адресу.

К пяти часам вечера собранных доказательств было уже вполне достаточно, чтобы предъявить обвинение и задержать подозреваемого. Эксперты отправились в прокуратуру. Областной прокурор находился в отпуске, и его замещал зампрокурора, муж Кристины. Резунов и Шатилов приехали к нему с просьбой дать санкцию на арест Вениамина Борисовича Баратова по подозрению в целой серии убийств.

— Вы с ума сошли? — возмутился заместитель. — Директор института, известный ученый и — серийный убийца?! Вам не кажется, что это чудовищное совпадение?

— Мы все проверили, — подтвердил Резунов, — и фактов у нас предостаточно.

— Я лично его знаю. Несколько раз с ним разговаривал. Умный и интеллигентный человек. Вы его вообще видели, знаете? Разве так можно?

— Он убийца, — упрямо проговорил Резунов, — и мы приехали просить у вас санкцию на его арест.

— У меня супруга работает в его институте, — выдвинул, как ему казалось, главный аргумент зампрокурора. — Она говорила, что там все влюблены в него. Неужели вы допускаете, что ваш маньяк может быть директором института?

— Может, — ответил Резунов, — и мы уже давно его ищем. Вы подпишете документы?

— Нет, не подпишу. Мне потом будет стыдно за это безобразие.

— Разрешите от вас позвонить? — попросил Резунов.

— Кому будете звонить? — усмехнулся заместитель прокурора области. — Наш прокурор в отпуске, а я его замещаю. И, если вы еще помните, прокурор — фигура процессуально самостоятельная, и даже наш губернатор не сможет заставить меня изменить мое решение.

Резунов набрал номер телефона генерала Шаповалова.

— Мы в прокуратуре, — доложил он, — и не можем получить санкцию на задержание.

— Передайте трубку прокурору, — потребовал генерал.

Резунов передал аппарат.

— Я понимаю ваши сомнения, — сказал Шаповалов, — мне самому трудно поверить в такое. Но факты — упрямая вещь.

— Согласен. Но я с ним лично знаком. Его знает весь город. Вы даже не представляете, что у нас здесь начнется, если мы его арестуем по подозрению в таких ужасных преступлениях.

— Он — очень опасный убийца, — убежденно произнес Шаповалов. — Его поисками занимались лучшие эксперты страны — профессор Гуртуев, эксперт Дронго, наши самые опытные оперативники...

— Неужели вы подключили самого Дронго? — не поверил зампрокурора.

— Представьте себе. И убийца, уверенный в своей полной безнаказанности, даже прислал ему два письма.

Зампрокурора замер. Он вспомнил, что его супруга несколько дней назад передала своему директору электронный адрес эксперта, который сохранился у него после московских курсов повышения квалификации. Кристина сказала, что директору будет интересно пообщаться с таким интересным человеком, о котором написали в газетах.

— Я все понял, — растерянно сказал заместитель, — до свидания.

Он подвинул к себе бумаги и, больше ни о чем не спрашивая, подписал их. Когда Резунов и Шатилов вышли из его кабинета, он подумал немного и, достав свой мобильник, позвонил жене.

— Кристина, ты еще в институте?

— Конечно. Я еще на работе.

— Можешь сегодня уйти пораньше?

— А что случилось?

— Ничего, просто выйди прямо сейчас из института. И не задавай мне лишних вопросов. Один раз в жизни сделай так, как я тебя прошу. Сейчас подъедет моя служебная машина, и ты в нее сядешь. Одна. И никому ничего не говори. Ты меня поняла?

— Хорошо. Но я ничего не поняла. И куда я поеду?

— Ко мне, — ответил муж, — ты приедешь ко мне.

Он перезвонил своему водителю, чтобы тот немедленно подъехал к институту за Кристиной.

345

Резунов приехал в здание областного УВД в шестом часу вечера. Вениамин Борисович еще находился в своем кабинете. Рядом с институтом дежурили полтора десятка вооруженных сотрудников милиции, словно директор мог оказать вооруженное сопротивление.

— Мы уже можем за ним поехать, — сообщил Резунов.

— У меня к вам просьба, — попросил Дронго. — Разрешите, я зайду первым.

Резунов переглянулся с Шатиловым.

— Хорошо, но только на пять минут.

Они поехали в институт все вместе. Поднялись в приемную. Испуганная секретарша хотела доложить, но ей не дали этого сделать. Дронго осторожно открыл дверь. За столом сидел высокий, достаточно привлекательный мужчина. Без очков. Он пристально посмотрел на гостя и сказал:

— Судя по тому, как вы вошли без разрешения, вы, очевидно, приехали за мной.

Дронго подошел к столу и сел напротив хозяина кабинета. Посмотрел на его руки. Длинные, даже красивые, сильные пальцы.

Он убивал этими руками. Душил свои жертвы без жалости, без пощады...

— Вы не ответили на мое второе письмо, — начал Дронго, — поэтому я решил лично приехать сюда, чтобы с вами переговорить.

— Только поэтому? — усмехнулся Вениамин Борисович. — Значит, вы и есть тот самый знаменитый эксперт. Будете отмечать свою очередную победу?

— Не буду. Вы оставили слишком много неприятных воспоминаний.

— Бросьте! Ни одну женщину я не вынуждал силой встречаться со мной. Все приходили сами, вы же это прекрасно понимаете.

— Не нужно, — поморщился Дронго. — Они приходили к вам, убежденные, что имеют дело с интеллигентным и воспитанным человеком. А встречали зверя...

— Какой я зверь? — вздохнул Вениамин Борисович. — Я обычный человек. Если бы вы знали историю моей жизни, не были бы так категоричны.

— У меня только два вопроса, — сказал Дронго. — Первый: зачем вы убили своего бывшего соседа?

— Я его не убивал. С чего вы взяли?

— Догадался. Вы убили его, а также и его супругу.

— У вас с собой магнитофон?

— Нет.

— В таком случае я могу вам сказать, что он был непорядочным человеком.

— И поэтому вы везде представлялись под его именем?

— Да. Мне подсознательно хотелось, чтобы все возможные родственники и друзья погибших проклинали именно его.

— И все-таки, зачем вы его убили?

— Этого я вам не скажу. Догадайтесь сами. Может, они заливали нас сверху, и я давно хотел им отомстить.

— Это как-то связано с вашей бывшей гражданской супругой? — неожиданно спросил Дронго.

— Идите к черту! — разозлился Вениамин Борисович. — Я ничего вам не скажу.

— Тогда второй вопрос.

— Тоже про них?

— Нет, про вас. Вы же все поняли вчера, когда вам позвонил участковый Лебедев. Поняли, что вас уже ищут и, рано или поздно, найдут.

— Да. Нужно быть идиотом, чтобы не догадаться.

— Тогда почему вы не сбежали? Вы могли остаться в Москве, могли уехать куда-нибудь, не возвращаться в город, не выходить на работу. Вы ведь понимали, что сегодня вас арестуют. Уточнить вашу группу крови было не так сложно.

Глаза убийцы. Его глаза. Он отвел их в сторону.

— Что вы конкретно хотите знать? — глухо спросил Баратов.

— Почему вы вернулись в город и вышли на работу?

Сидевший перед ним мужчина молчал. Долго молчал. Дронго терпеливо ждал. Прошла почти минута. Сейчас должен войти полковник Резунов.

— Понятно, — наконец сказал Дронго и поднялся. — Можете больше ничего не говорить, я все понял.

— Что вы можете понять? — с тоской проговорил Вениамин Борисович. — Для этого нужно прожить мою жизнь. Может, я хотел, чтобы вы меня нашли и остановили? Об этом вы не думали?

Дронго молча повернулся. Резунов и Шатилов уже входили в кабинет. Он вышел в приемную, где в центре стояла ошеломленная секретарша. В коридоре столпилось несколько сотрудников института. Дронго направился к выходу. Он был убежден, что это дело можно считать законченным, даже не подозревая, что еще вернется к нему — и испытает потрясение, равного которому в его жизни никогда не было...

Литературно-художественное издание

СОВРЕМЕННЫЙ РУССКИЙ ШПИОНСКИЙ РОМАН

Абдуллаев Чингиз Акифович

СИНДРОМ ЖЕРТВЫ

Ответственный редактор *А. Дышев*
Редактор *Т. Чичина*
Художественный редактор *А. Сауков*
Технический редактор *О. Куликова*
Компьютерная верстка *И. Домбровская*
Корректор *Н. Овсяникова*

Иллюстрация на переплете *В. Петелина*

ООО «Издательство «Эксмо»
127299, Москва, ул. Клары Цеткин, д. 18/5. Тел. 411-68-86, 956-39-21.
Home page: **www.eksmo.ru**   E-mail: **info@eksmo.ru**

Подписано в печать 11.01.2011. Формат 84×108 $^1/_{32}$.
Гарнитура «Петербург». Печать офсетная. Усл. печ. л. 18,48.
Тираж 10100 экз. Заказ 4604.

Отпечатано в ОАО «Можайский полиграфический комбинат».
143200, г. Можайск, ул. Мира, 93.
www.oaompk.ru, www.оаомпк.рф тел.: (495) 745-84-28, (49638) 20-685

ISBN 978-5-699-47214-7